愛孩子
愛自己

愛孩子
愛自己

「什麼——你還沒看過這本書！」這是我和先生讀過《管教啊，管教》後，對所有有小孩的朋友們，講過的話……然後眞的去看了這本書的朋友們，也都跟著對他們其他的朋友講同樣的話……**他們說的，你不能不信……**偶然在書店看到這本書，天哪，字字句句都說到我的心坎裡去了！二話不說，拿了就去結帳。到今天爲止已經讀了兩遍，還用螢光筆劃重點喔＊管教書，我買了很多，可是讓我眞正好好每一頁唸完的，只有這本＊你越遲讀這本書，你和你孩子的受惠便會越少！別再等了＊教養道理我都懂，這本書最可貴之處是：它可以點醒你去身體力行＊我已經看過了非常多的育兒書，大多讀起來都有點「我知道，但怎樣做呢」的疑問。汪老師的書卻一看就明白——明白就能馬上用，用了立刻就見效。眞的差不多是「即時」見效呢＊《管教啊，管教》是我們公司同事間媽媽的教養寶典，幾乎人手一本＊如果你有一個聰明、活潑，有主見的小孩，你一定更要去買這本書＊你內心本來就知道的教養直覺，《管教啊，管教》有喚醒它的獨步武功＊眞是一本値得推薦的好書。看完還會一看再看的好書＊眞是感謝這本書，建議有小孩的朋友，買這本書回家當【傳家寶】吧。因爲您的孩子也會有孩子，將來也會面對教養的大事，若能一直傳遞給後代，那麼社會問題必然可以減少，我們的孩子也會更喜樂＊我眞的深刻體會到書上寫的。每一篇的道理，都好有用。汪老師，我好想告訴你，我有多感激你。謝謝你＊如果沒有汪培珽的這本書……我還在用如同流氓的暴力方式在教育我的兒子。獲益良多＊《管教啊，管教》才看了三分之一，我就茅塞頓開，決定丟掉家裏的藤條，從此好好的和孩子講道理。做了此決定的那一夜，我感動得久久都無法入睡＊這本書是我的靈丹妙藥，我和孩子的關係現在和諧多了，眞的感激汪老師點醒了我，也救了孩子＊【這本書救了孩子一命】我有個一歲七個月的男孩，當爸媽不再大吼大叫、不再拿棍子扁人、不再威脅丟掉玩具、不再關進廁所……這本書救了這男孩一命＊看完這本書後，最大的收穫是：做父母的人會更愛小孩。而小孩會漸漸發現，父母好愛他＊如果你打罵孩子，是因爲希望他好，那麼耐心看完這本書，你絕對能使孩子變好，卻再也不用打罵＊每次讀完老師的大作，都會產生滿滿的能量，尤其是耐心＊這麼好的內容，讓我不得不重新審視自己對小孩的態度了＊唯一一本，老公會跟我搶著看的書＊很實用、很棒、很溫馨的一本書，謝謝老師每年給我們這些快要缺氧的父母，來上這麼一劑強心針＊我那從來不看教養書的老公，居然自己拿起書讀了起來，不間斷看了快三分之一才放下，還跟我說「蠻好看的」。我好感動啊，終於有機會可以洗他的腦了＊「如何建立親子間深厚美好的感情」，我認爲是這本書背後最大的意義所在＊汪老師的理念使我在教育孩子上更輕鬆，而且不失自我＊「感動」是我看了此書後浮上心頭的兩個字。孩子眞的喜歡聽大人說話，孩子常回我：「嗯，我知道了。」就讓我的心好溫暖。聖經上也說：「愛必管教。」＊我讀第二遍了。孩子們竟然說：爸爸也應該看的＊好感動，書看完了，但是我還放在公事包裡捨不得放回書架，再來也希望自己持續力行＊看了汪培珽的《管教啊，管教》深深覺得：父母好好說，小朋友都聽得懂，而且小朋友那麼可愛，這麼愛他的阿母，怎麼捨得打下去？＊這本書給了我好多好大的勇氣：當我在面對親子間的不協調時，我發現我說理的時間和耐心比以前更久更多了；當我在面對長輩不以爲然的否定態度時，還能堅持和孩子說理的自信力量也更加堅定了＊我和老公都是沒耐性的人，汪老師的書就像我們頭頂的一枝棍子，每當我們任何一人快要對小孩發火時，另一個人就會拿著棍子當頭棒喝，說：「老公／老婆，你忘記汪老師怎樣說嗎？《管教啊，管教》裡不是有說××××××嗎？」我們一定會按著書中的指引，一路走下去的＊這本書給媽媽們很大的幫助，讓媽媽有勇氣堅持下去＊您不一定要是位「愛的教育」的信仰者，也會很受用的一本書喔＊對於一個沒有習慣看書的媽媽而言，這本書有一種讓我一直讀下去的動力＊從來沒有一本書告訴媽媽該怎麼跟孩子說話，它讓我受益良多，讀過才能深深體會＊我非常感激汪老師在字裡行間將「大人應該有的態度」寫得那麼清楚＊幼稚園老師問我，您的小孩到底是怎麼帶的，怎麼帶的這麼好，我跟她說，你去問汪培珽吧～～

管教啊，管教

汪培珽 著

【目次】

第二篇：怎麼跟小孩——說道理？

獻給我最愛的兩個小孩
同同和小麥
他們讓我知道「幸福是什麼」

序文

小孩，最愛聽父母的大道理

汪培珽

姊姊和弟弟倆，都是從幼稚園中班才入學的。現在回想起來，這個沒有提供「幼稚園娃娃車」服務的學校，我由衷感激，因爲它幫我找回了育兒生活中最美好的時光——接孩子上下學。每天早上，爸爸去辦公室的途中，會在路口放下姊姊讓老師接走。下午，準時兩點半一到，有時候正在午睡的我，會賴床到兩點四十五分，然後一古腦地跳下床，衝出門，坐上木柵線的捷運，兩站後在大安站下車；然後走上十分鐘的騎樓，到學校等姊姊下課。當時才兩歲半也需要睡午覺的弟弟，卻每天拼死拼活地也要跟媽媽一起去——接姊姊。

「接姊姊」，可能是弟弟童年時光裡，最美好的回憶之一。

有一次，我要出門去接姊姊了，但是看見弟弟熟睡的模樣，媽媽怎麼忍心叫醒孩子呢？於是我自己一個人走了。結果當天一回到家，奶奶就說剛剛弟弟哭得死去活來，半小時都不肯停下哭來。他當然傷心囉——媽媽不等我就走了——對小孩子來說，有比這個

更令人傷心的事嗎？

其實之前，媽媽已經跟弟弟說過道理了（咦？跟兩歲的孩子說道理？）：「你可以跟媽媽去接姊姊，但是有時候你才剛睡下去，媽媽就要出門了，所以如果媽媽看見你睡得太香，就不會叫你；那天你就不要去接姊姊，媽媽和姊姊一下子就回來了。睡起來沒看到媽媽，不要哭。」

爲了防範以後可能上演的「哭戲」，當時我還給了弟弟一個規定：「如果起來哭哭，那麼隔天就不可以去接姊姊。」他將會被剝奪一天「接姊姊」的權利。第一次，小小年紀的他可能「一時悲從中來」，就忘了媽媽的規定，傷心到哭個不停。

剛進門的我，看著淚痕還在臉上的弟弟，兩歲多的孩子，說我有多不捨就有多不捨。媽媽當然想帶你一起去啊！但是生活的作息必須正常，體力不好的時候還跟媽媽東奔西跑，對誰都沒有好處。

「弟弟，你明天不能去接姊姊。」給他安慰後，媽媽沒有忘記規定。可是媽媽的記性，常常沒法超過二十四小時。

第二天同一時間，當媽媽要去接姊姊的時間快到時，我走近了弟弟的小床旁邊——我當時壓根忘了自己二十四小時前說過的話——當我的「咚咚」聲響吵醒弟弟時，當我正準備親親他的小臉抱他起床時，我永遠也忘不了——趴睡在小床上的可愛小臉龐，他

將自己的頭撐起來，左右看看，然後自言自語地說：「今天不能去接姊姊。」然後倒頭再睡下去，根本無視於我的存在。

小小孩願意遵守規矩的能耐，當時給我的震撼，至今依然迴盪在媽媽的腦海裡。

「小孩聽不懂道理」，這是中國大多數父母的認知。

傳統權威教育下長大的孩子變成父母時，通常不知道怎麼跟孩子說道理，因爲我們的成長環境裡，聽到的都是——

「小孩不要問這麼多。」

「你長大就會知道了。」

「跟你說你也聽不懂……」

這些還是比較「慈眉善目」父母的語言呢。

「不要廢話，是我大還是你大。」

「再頂嘴，就不要吃晚飯。」

「閉嘴，我說了算，你是皮在癢嗎？」……我猜一定還有更難聽、更傷小孩自尊心的話，對不起，我一時想不到。

將父母教育我們的方式，不管好壞，再一代一代地傳下去，是做父母最難斬斷的輪迴。可是，如果你愛你懷中的寶貝，就必須下決心，斬斷一切養育孩子時，傳統觀念給我們的苟且想法和作法。

這些苟且想法和作法，很多，族繁不及備載。但只要讓我們發現一個，就必須勇敢地大刀一揮，將它從自己身上斬斷，讓它從此滅絕於你和你的孩子、你的孩子的孩子、你的孩子的孩子的孩子……

父母的勇敢、勇於改正自己，才是愛孩子最具體的表現。給孩子吃什麼樣的食物、住什麼樣的房子，都比不上你多給他一點點的耐心和愛心。

耐心，可能不只需要一點點，我不能騙你，我必須老實地告訴你：父母需要很多很多的耐心和體力。

昨天看到一位讀者在部落格上的留言，我很少接到這樣的問題，因為大多數父母只在孩子小的時候才看教養書。（大了也沒救了，不需要看了嗎？）

汪老師，你是否也寫寫關於父母跟孩子在教養上的衝突。

我知道很多母親和父親都跟孩子走到了教養上的死角，

甚至父母失望到想放棄的地步，這該如何化解呢？

如果要聽我的答案：

有衝突，百分之九十九是父母的問題。剩下的百分之一，也不是孩子的，是上帝的。說得更白話一些，父母如果不徹底反省自己，一心只想在別人（孩子也算別人）身上找答案，我想說的是：「很困難，很困難。」

先不要爭論「爲什麼都是父母的錯」。因爲爭論誰對誰錯，對事情一點幫助也沒有。一方是成熟的大人（如果你不是，那更不用爭論了），一方是不成熟的小孩，這兩方人馬爭論對錯，你覺得符合邏輯嗎？

這本書要談論的主題：「好好跟小孩說道理」就是管教孩子的最好方法。但它不是出現親子衝突時，能夠拿來臨時抱佛腳的東西。當小孩年幼的時候，如果父母們都不願意拿出耐心來教孩子，一句「你閉嘴」眞的很好用，對小小孩「大吼一聲」，效果當然也很快速；這麼小的孩子，他們最信任、最依賴的人對著他們大吼大叫的，哪有不怕的道理呢？可是啊，快速阻斷孩子問題的萬靈丹，通常都是毒品。父母明明知道毒品是碰不得的東西，爲什麼還是不自覺地往嘴裡送呢。

沒有人告訴我，但是當我從女人變成媽媽的第一天開始，我就知道：

1 教小孩規矩和禮教時，要好好地跟他說明其中的道理。

2小孩都願意聽道理，因為他們想被尊重，也想尊重父母。

3一歲前就可以開始。不管你用的是多麼簡單的語言，當你發覺已經可以和孩子互相溝通時，道理就要開始了。可能是寶貝六個月大時。

六個月？對。還不會說話的小孩，就會跟父母溝通了，例如：咯咯咯的笑、哇哇的大哭、將奶瓶從嘴裡吐出來，揮著小手將東西打翻……

在孩子的學齡前，我花了大量的耐心在孩子身上，所以我現在才可以高枕無憂。父母花在孩子身上的每一分秒，孩子將來都會加倍的顯現在「完整的人格」和「學習順利」之上。現在，光是看著孩子懂事的臉龐，就是養育孩子最大的享受。

花了耐心，跟孩子就不會有衝突嗎？唉，別誤會，我可沒這樣說啊。

親子間一定會有衝突，只是在檯面上還是檯面下。想想我們自己這一代，有多少孩子即使成年以後，對父母還是敢怒不敢言。「敢怒不敢言」是你要的親子關係嗎？表面上它代表的是「孝順」，骨子裡根本是「疏離」。

不用問，我知道這不是你要的親子關係，永遠都不希望發生。衝突，寧願在檯面上，因為看得到，所以有化解的機會。姊姊弟弟已經十歲了，我們的衝突越來越多，但

是到目前爲止，親子間的爭執從來不過夜，兩方人馬，都希望睡一覺起來，又是個充滿快樂的家庭。

要解答「如何跟小孩說道理」，是我寫此書的原由。而且，我自認是一個很有天份「跟孩子說道理」的媽媽，任何天方夜譚的困難問題，我都可以在一秒鐘內回答孩子。而且臉不紅、氣不喘，還讓孩子聽得津津有味。

然而，通常我願意花時間跟孩子說的東西，都與生活習慣和人生態度有關。至於「電燈爲什麼會亮、電話爲什麼可以說話」此類需要知識的問題，我通常只有一個答案：「孩子，上學後用功讀書，等你學會了以後，再來教媽媽。」小孩問題這麼多，你隨便問問，我都要一一回答，那不是累死媽媽不償命嗎？有時候當然也得看當下媽媽的力氣還有多少可以使用。

說道理很輕鬆嗎？想的美，累死人了。尤其是跟小小孩說，那簡直比上舞台演話劇還費勁啊！

但是你愛他，上刀山下油鍋你都願意爲他做了，「說說道理」算什麼呢？

從在醫院的產房第一次抱起孩子，就請輕輕地對他（她）說：

「孩子，我會好好地跟你說道理。」

還有，「汪培珽說，小孩都很喜歡聽父母的大道理，你告訴我，這是眞的嗎？」

讀者給我的一封信

親愛的汪老師，你好：

自從看了你的書之後，我開始唸故事書給我兩歲大的兒子聽，如今也唸了八個月了。只是隨著孩子越來越大，教養的問題也越來越讓我傷腦筋。

因為受你的影響，我決定孩子在犯錯後，絕不打他。也因此參考了你的一個方法，如果他犯錯的話，便帶他去「房間隔離」。

「你現在這樣是不對的行為，我要帶你去面壁思過。」進去後，我會將他帶到房間的一面牆前，跟他說剛才那樣亂丟東西是不對的，「你要好好想想，哪裡做錯了。」然後就不再跟他說話。

是現在的孩子都很聰明吧，過一下子，他就會跑過來跟我說：「媽媽，下次我不會再那樣了。」然後我就跟他說：「好，那打勾勾、蓋印章，約定好要做到喔！」然後我們就很高興地走出了房間。

只是不知道是我的孩子太皮，還是我這個方法太常用了，因為如果他又犯錯，例如破壞玩具，我會很嚴厲地說：「這樣不行喔。」如果他不聽，我就會說：「你是不是想去面壁思過？」

甚至，現在他兩歲八個月了，一不順他的意思，或是我跟他說這樣不行喔……他馬上就用哭來抗議。

上個星期開始，竟然是躺在地上耍賴。

有一天我下班回到家，發現我兒子躺在地上哭。原來是他跟奶奶說想要吃糖，奶奶對他說：「你先把牛奶喝完再吃糖糖。」但他說要先拿著糖，就依了他，然後泡了牛奶給他喝，他卻又說不喝了，一定要先吃糖。最後就躺在地上哭，耍賴起來。

以前他不會這樣，即使先答應讓他把糖拿在手上，也會先將我們要求他的事做好，才吃。

最近要求他收拾他亂丟一地的玩具跟故事書時，他會說：「我好累喔。」不然就是說：「我還要玩。」然後就不理我走出去，完全不想收。

我還是會把他帶回來，甚至是強迫抱他進來，到他弄亂的地方，然後一直跟他說：「好亂喔，我們一起來收吧。」或是說：「你亂丟書和玩具，它們會離家出走，不想住我們家喔。以後你會沒有玩具玩喔。」

只是這樣似乎也沒有很大的效果，我還是一直一直、不斷不斷地跟他說：「你自己弄亂的，或是玩過的，要自己收。」這中間，他還會不停地問我為什麼要收，我還要一直不斷地跟他解釋，他才會勉強地跟我一起收玩具。

我似乎不應該拿這種瑣碎的事來煩你，但身邊又沒人可以商量。希望能聽聽汪老師的一些建議，但我知道你最近在趕著寫書，所以如果沒辦法回覆我，也沒關係。我還是會認真地想想，該如何解決這些問題的。謝謝你了！

惟惟媽媽敬上

第一篇

需要變法維新的父母

當孩子兩歲時，我們可以輕易忽略他，簡單帶過任何一件事。
當孩子十二歲時，他也可以輕易忽略你，簡單帶過應該讓你知道的任何一件事。

改變，從父母開始

「跟孩子說什麼道理呢？」
「我是他爸爸，我說了算。」
你知道嗎？只要搬出爸爸啊、媽媽啊、爺爺啊，就可以通行無阻的時代已經過了。
當然，我們可以繼續上一代父母的育兒方式，大家也一樣可以平安活到老。但是，那是個錯誤示範多過正確作法的年代，因爲當時的環境是「食指浩繁」，能平安健康養活

孩子長大，已經阿彌陀佛了，誰還有閒工夫跟你說什麼鬼道理啊？沒有拿棍子出來打人，就叫仁慈了。

可是，權威下長大的孩子，親子的關係最後會如何呢？

你希望有一天我們可以跟成年後的孩子像朋友般地交心說話嗎？

你希望聽聽孩子如何開始喜歡上一個男孩子，又如何度過失戀之苦嗎？

你希望聽到孩子跟你談他的偉大理想和抱負，又如何在苛刻老闆的磨練下，有所成長嗎？你希望……

你希望的事情很多，但是如果我們一開始就拿「我是你爸爸，我說了算」當理由，那我們的希望將統統無法實現，因爲我們的結局將與上一代一樣同悲：你行使父母的權威一輩子，然後子女不敢忤逆地「孝順」你一輩子。其實，讓親子關係走到這一步，自己的人生將少了許多美好的感覺——可惜啊！

如果你還是不大明白這其中的道理，想想自己，事情或許比較容易清楚些：如果有一天，當你心裡有話、有意見，卻不敢或不想對另一半說，而只能想著「算了算了，說了也是白說」的時候，那是不是另一種疏離關係的開始呢？

我們這一代，成年的子女與邁入老年的父母，心靈多半沒有交集；一旦心靈有交集的時候，可能就是將抱怨傾洩而出的時候，然後結局通常都以「老的悲、小的悶」收

場。

爲什麼成年後的我們不能跟父母「打開天窗說亮話」呢?原因很簡單——

因爲父母從小就不讓我們說話。除了一個加了驚嘆號的「不」字外，什麼也沒有。父母沒有時間也沒有習慣跟小孩說話。在那個年代裡，盡快解決問題，或盡快壓制住孩子，是父母最優先考慮到的。

當孩子小的時候，父母一個簡單的「不」字，可以讓天下太平；一個充滿威脅的嚴厲眼神，可以讓孩子不敢再造次。既然火當下已經撲滅了，何苦再說什麼道理呢?很累人的耶。

可是，火並沒有滅，它只是藏在孩子心裡的最底層，在那裡「悶燒」而已。而且，父母說「不」時的聲音，將會隨著孩子的年齡，越來越大……，直到無法再大的一天……，從此，親子關係就只剩下疏離了。

想想周遭的朋友中，有沒有看過一種人，當他們有能力離家的時候，有的能力根本都還不夠成熟，就恨不得趕快逃離父母的掌控，甚至連回頭看一眼的留戀都沒有。

如果你不想做一個「重蹈上一代覆轍」的父母，如果你希望與孩子間的濃厚

感情可以長長久久，那我們就必須用現代的方法，教養現代的孩子。

很多上一代似是而非的育兒觀念，不能再用了。食衣住行育樂裡都看得到，不是它一定有什麼錯，而是它不適用於不同時代裡長大的孩子了。現在的環境，跟我們小時候有十萬八千里的不同，到底有多麼不一樣？應該不需要我詳述，看看現在的子女不像子女、學生不像學生的嚴重情況，就可窺知一二。

不管時代如何變化，但是，有一點卻是不變的，那就是人性。

人，都希望被別人尊重。父母用絕對權威凌駕一切道理之上的教養，就是不尊重孩子的具體表現。「我是你爸爸」，從來就不構成一個事情的道理。也就是說，是非對錯、黑白曲直，每件事都可以找出其中的道理，而這跟「你是不是我爸爸」一點關係也沒有。

但我也要特別申明：當孩子未成年之前，我從來沒有放棄過做媽媽該有的權威，我也不會全然尊重孩子的意願。因爲父母面對的就是一個，在各方面，都還不成熟的「小人」。把孩子管教成一個擁有健全人格的人，是父母的義務。父母的權威，也可以透過「好好跟孩子說道理」的方式發揮出來。

你準備開始了嗎？父母除了大叫一聲「不」的權力之外，我們可以做的事情還很多。準備接招囉……

後記：

「我們的爸爸就是這樣。」準備幫媽媽畫插圖的弟弟，文章聽到一半，就自動補充說明了他的處境。

媽媽只是笑。

弟弟繼續說：「媽媽，真的，如果你當初沒有設下這條規則，我們就死定了。」

「爸爸，我們可不可以吃洋芋片？」

「不行。」

「為什麼？」

「因為我是你爸爸。」

弟弟自導自演地說著像連續劇的對白：「你想要頂嘴嗎？你想我賞你兩個左右開弓的巴掌嗎？」

養育孩子，一定要遵循「先苦後甘」的方向。
苦的時間不會太長，就是人格塑形的頭幾年；甘的時間呢？是看不到盡頭的。

每個「不」字後面，都要接「三分鐘的道理」

這可能是要成爲現代好爸媽的人，首先要面對的難題。牙牙學語的孩子，拿到什麼東西都往嘴裡送，如果是可以吃的也罷，如果是有致命危險的呢？電池、小釦子、彈珠、積木……任何只要能被他們拿到手的東西，不管三七二十一，我先往嘴巴送再說。

對這麼小的孩子說道理，有用嗎？

天哪，當場當然沒用。（你不會以爲我要說有用吧！）

面對這個時期的孩子，每樣東西都要收好。除了一樣也不能漏掉地收好外，還要說道理給他們聽。不管你聽不聽得懂，我就是要說。因爲孩子可能吃的是……嗯，我最愛的故事書啊！

「寶貝，書是用來看的，不能吃。」

我會一邊說，一邊將書從孩子的口中「救走」。我甚至會唱作俱佳地表演出喜怒哀樂，來讓孩子感受到我要說的道理：

「書不是餅乾，餅乾可以吃，書不可以吃，因爲書是要用來看的。」

我有多少的耐心，就可以說多久。但是，不要懷疑——孩子下次還是會繼續這「吃書」的行動。這樣「擾人」的狀況，不會在父母說完道理後就消失，因爲孩子就處於「口欲期」嘛。

可是，正常的行爲，不見得是對的行爲。所以孩子每吃一次書，我就說一番道理。不知不覺地，某一天，他就不吃了。

但是在這樣的轉變當中，我不需要跟孩子上演「你爭我奪、死去活來」的連續劇戲碼，就可以將「吃書事件」平和收場了。因爲，我在每一次說道理時所花的時間和力氣，已經在不知不覺中，教會了我的孩子一些父母肉眼看不到的事情。

吃完書，孩子力氣更大了，於是就開始動手——撕書了。

哦，這是愛書媽媽們的痛啊！我不知收過多少讀者的來信問我該怎麼辦？先來說說我的經驗吧：老大是姊姊，如果我沒記錯，她沒有撕壞過任何一本書。她可能根本沒有撕過書。我猜可能不是她的遺傳因子這麼文雅，很可能是因為，她是第一個孩子，媽媽亦步亦趨，所以她沒有機會「下手行兇」罷了。

弟弟呢？等我翻開故事書要唸時，才發現，其中一整頁已經不知去向了。我還記得是哪一本書呢，書名叫《小菲菲和新弟弟》。

「那一頁去哪裡了？」我問褓母。我到現在還記得當時我跟褓母的對話場景呢。弟弟那時候大約一歲半不到兩歲。

「我丟了。」褓母說。當然，撕破了、撕碎了、撕爛了，丟了理所當然，這不是褓母的錯，但是我請褓母幫忙，「下次撕壞的頁數，不要丟掉。」我要，我要一片一片地黏回去。

對，即使是撕爛成一百片的拼圖，我也要黏回去。然後，我會拿著書跟孩子說道理：

「寶貝啊，你看，書撕破了呢，是不是不好看啊？如果每一頁都這樣破破爛爛的，媽

媽好傷心。」我如果還有力氣，一定會換個角度繼續說，「書撕破了，黏回去也不好看了。如果你最喜歡的小毯子，也被別人弄得破破洞洞的，你會不會好傷心啊？」

但是，不要懷疑——他還是可能再撕破下一本書。因爲孩子就是處於不能控制自己行爲的年紀嘛。其實，這不是弟弟第一次撕書，但卻是我印象中的最後一次。之前還有一本媽媽很愛的《小灰狼》，其中幾頁都是破破的，結局頁甚至不翼而飛了，但是，我都一直沒有重新再買一本新的代替，或許我就是要孩子警惕：破鏡，是不能重圓的。（對不起，這好像是警告另一半在外「交朋友」要小心的用語。）

除了吃書、撕書，孩子能衍生出來「對書不敬」的行爲，還很多。像拿筆畫書，也是其中一項。不過道理都是相同的，弟弟只畫過三本，不需要任何人的威嚇，三本過後，就從此沒有再犯了。（十年了，那三本書還在家裡的書架上，不久前我和姊姊無意間翻到它，我們想像著弟弟當時的「可愛行爲」，都表示好懷念呢。）

好好跟孩子說道理——是教養可以順利進行的關鍵

只要父母發現孩子有任何不當的行爲，不論他的年紀有多小，就要開始這個「好好說道理」的教養方式。千萬不要等到孩子已經變成「不肖子」才想要開始，這樣誰也幫

不了你。

其實一開始，我也不知道「對孩子說道理」會有什麼長遠的影響力。它就跟我當初不知道唸故事書給孩子聽，會有什麼長遠的影響力一樣。我不是算命師，我沒有能力看到將來的事情，我只能憑著直覺去做好媽媽這個角色而已……

「好好跟孩子說話」，是一個以寬厚爲出發點的教養方式。

我還清楚記得那一天，當我看到親戚家裡的每一個大人，把兩歲的姪子當成賊一樣看待時，我的心裡突然冒出了這句話：

每個「不」字後面，都要接三分鐘的道理。

因爲小小年紀的他，只要看到桌上的任何東西，全都往地上掃。所以全家人都將東西收得高高的，像防賊似的，讓他沒機會碰到任何可以打破的東西。這就像古人治水，不用疏通，卻用防堵的笨方法，是一樣的道理。

姊姊弟弟從來沒做過這樣的行爲，但是他們小時候，有沒有可能將奶瓶往地上丟呢？很有可能。如果那時候他們這麼做，我一定不會只說「不可以」就算了；我會不厭其煩地告訴孩子：「爲什麼奶瓶不可以丟地上？」因爲這才算是父母教養動作的完成。

（爲什麼奶瓶不可以丟地上？……嗯，好，我等會兒再解釋這個道理給你聽。）

在我重複告訴孩子「爲什麼奶瓶不可以丟地上」的同時，其實孩子已經舉一反三地學會了「桌上的東西也不可以掃到地上去」。

大人不應該認爲孩子年紀小，所以什麼事情都用防堵的方法（防堵不是不可以用，與孩子安全有關的事就不得不用，例如將小孩隔離於廚房之外），而是當小孩有「掃桌上的東西到地上」的行爲出現時，除了一個「不可以」之外，還要告訴孩子爲什麼？但是很多大人，只知道加重說「不可以」的語氣和音量，卻不知道還有一種具有更長遠影響力的教養方法可以用。

說「不可以」只需要一秒鐘的時間，說「爲什麼」卻要花三分鐘。

我知道，雖然只有三分鐘，但是，對每天已經快累翻、累倒的父母來說，不是件容易的事。可是我們必須這麼鼓勵自己：現在不說，以後教養的問題只會越來越大。爲了自己將來的「太平日子」，這個力氣，我們是非花不可的。加油！

你幫孩子做的越多，不見得越是個好爸媽；
但你願意跟孩子解釋的道理越多，肯定就一定是。

教養問題從奶瓶開始

「爲什麼不能哈著奶瓶睡覺？」

姊姊弟弟小時候，也曾存在著這樣的問題：睡前要喝奶，最後哈著奶瓶睡著了。這是不好的喝奶方式，因爲它可能造成奶瓶性齲齒，睡覺時牙齒泡在牛奶裡，很容易就蛀掉了。

所以當時我的變通方式就是，喝完奶會再塞一瓶白開水讓孩子吸上三四口，算是漱

口囉。

弟弟兩歲多的時候，我覺得這個習慣需要改變了，於是我又開始跟孩子說道理。其實，我就是將牙齒保健專家說的話，一五一十地轉化成小孩子的語言，說給孩子聽而已。

但是，你知道嗎？不是每件事說道理都可以馬上看到效果，尤其是這種要孩子突然改變習慣的事。吸著奶瓶睡覺，最後大人再將奶瓶偷偷取走，這是從出生就開始的習慣。所以即使媽媽說破了嘴皮，孩子當下改變不了就是改變不了，怎麼辦？

而且，我又不喜歡對小小孩使出強烈的手段。什麼在奶瓶上塗辣椒啦、在奶嘴上塗萬金油啦、將奶嘴剪破啦……我的直覺告訴我：今天，如果我用強烈的手段對付孩子，將來，孩子一定會「找機會」統統還給父母，父母是一點便宜也別想佔到的。

我還記得在那個台北和平東路上租來的小房子裡，弟弟的小房間裡有一張ＩＫＥＡ的單人床，每天睡覺前，我就在弟弟的面前咕咕噥噥地說著「奶瓶要還給媽媽」的道理。

有一天，可能是覺得時機成熟了，我突然跟他說：「弟弟，你勇敢，」我比出大力士很有勇氣的樣子，「等一會兒，你快要睡著前，就將奶瓶自己拿給媽媽。如果你做得

到，明天，媽媽衣櫥裡的火柴盒小汽車就是你的。」

其實我老早就有心裡準備了，第一次說，他可能做不到。那種對奶瓶的依戀，可能跟對媽媽的依戀不相上下，不是說放下就可以放下的。但是，當我的鼓勵加利誘到第三天時，奇蹟發生了——他快睡著前，我試著喊他，然後你就看見他用自己短短肥肥的小手，勇敢地將奶瓶從自己的嘴裡拔出來，拿給媽媽，然後沈沈地睡去……

特此申明一件事：「利誘」，我是五百年才拿出來用一次的。而且，你知道嗎？小禮物算什麼，即使是這麼小的孩子，即使是將奶瓶主動還給媽媽的這等小事，在他小小的內心深處，都會以自己的勇敢和勇氣爲榮。而這份「以自己爲榮」的感覺，才是他一路上願意當個守規矩的孩子的最大支持力量，與小禮物一點關係都沒有。

不要對孩子抱著偏見

我沒忘記你的問題：「爲什麼奶瓶不能丟地上？」如果是一歲前的小朋友，第一次將奶瓶丟了出去，我相信，他們不是故意的。你只需對他們輕輕地說：「奶瓶不可以丟地上，東西會壞掉，不可以。」

如果你的小朋友已經超過兩歲了，第一次將奶瓶丟出去，我們還是要相信：他們不是故意的。

小朋友，對於每一件事情的輕重得失，在人生的一開始，絕對是拿捏不準的。所以大人可以有禮貌地告訴孩子：「奶瓶不可以丟地上，東西會壞掉，牛奶會灑出來，匡噹匡噹的聲音，也會嚇到別人。如果爸爸正在房間睡覺，突然聽到這麼大的聲音，可能會以爲有人受傷了。」不論你道理要怎麼說，結論都只有一個：奶瓶不可以丟地上。

我一直相信：好好地跟孩子說明每一件事情的道理，順其自然地愛著孩子，每一個孩子，都會是很好教導的好孩子。

不要對孩子抱持著偏見。常常有機會聽到朋友描述他小孩過往的「不肖行爲」：有一回我爸爸蹲下來跟我那三歲的女兒說話問好，結果，小小的她，二話不說地朝

老人家的臉上就是一巴掌。而且不是輕輕的一巴掌，讓老人家當場難過的都哭了。

這個小女生現在都二十多歲了，但從朋友回想的口氣中聽得出來，她對孩子的天性，有諸多怨言。

我不願意相信這是這孩子的天性不好。多年前，另一個朋友也描述過家裡兩歲的小姪子，有回拿起酒瓶就往爺爺頭上狠狠地敲下去……。我相信，這些孩子都不是故意的。他們當時統統不知道，他們的行爲，有這麼大的嚴重性。

如果父母「有幸」遇上這等情節，不要大呼小叫，光是大人臉上受驚的表情和難過情緒的自然流露，小小孩也看得懂。大人的驚訝、難過、不好意思，也不需要刻意地隱藏不讓孩子看見，因爲我相信這時最會演戲的人，他的演技也派不上用場，父母當時的心裡感受一定會，也一定要，忠實地傳達給孩子。

有沒有父母，當下就氣得也回甩孩子一巴掌呢？「以其人之道，還治其人之身」？我總覺得，世界上最難管教的孩子，都是大人這種教養態度下的產物。這是一種惡性循環：父母對這麼小的孩子就抱持偏見，以帶有偏見的教養態度，怎麼可能養出人格完整的孩子呢？

爲什麼我在養育姊姊弟弟的過程中，從來沒遇過這些問題呢？我猜想，那是因爲：

我一直將他們當成好孩子——他們當然一路上都是好孩子囉！

你的孩子，在你心中是什麼形象呢？

不需要告訴別人，有機會請仔細想想。

孩子在父母心中的形象，是會在現實狀況中實現的。當你打心底相信他們一定是好孩子，他們就會是；當你心裡對孩子失去信心時，問題往往也就出現了。這層玄妙的因果關係，有時候，很難言傳。

不需要事先警告孩子。當他沒做錯事的時候，就是好孩子。當他是好孩子的時候，父母當然不能開口「暗示」——他可能會變成壞孩子。

只要你相信他會改變，他就會改變

每個孩子在人生的一開始，都是喜歡聽父母說道理的。有沒有發覺？不管孩子多小，只要你肯對著他說話，即使他根本還小到聽不懂你說什麼，可他那骨碌骨碌的小眼睛，總是會很有興趣地望著你。但是爲什麼？好像才一轉眼，那個可愛的孩子就開始將你的話當耳邊風了呢？要他往東，他偏往西，任你說破嘴也沒用。

那是因爲當初，我們心裡放了一個錯誤的觀念：他還小，聽不懂，所以不用教。事實上，父母就是要在一開始孩子還似懂非懂的時候，就跟孩子建立起一個正確的溝通模式：孩子做錯事的時候，要跟他們說明原因。不管他們有多小。

但是，如果道理說了，還是「明知故犯」呢？這應該是指一歲之後的小孩。掃瞄我的記憶庫，姊姊弟弟從來不「明知故犯」，除了這一次。

大約在弟弟一歲半的時候，突然喜歡開始做「打媽媽」的動作。當然不是那種甩巴掌的打法，就是用他的小手，往媽媽的大腿上拍。「弟弟，不可以打媽媽，媽媽會痛。」當我說完後，他可能當下住手，但沒隔兩天，又開始打媽媽的動作了。

然後我再說：「弟弟，不可以打媽媽，如果有人打你，你也會不舒服。」說實在的，我不知道他爲什麼會有這樣的行爲？他是個從小沒被父母或任何人打過的孩子，生活環境裡也沒任何可以學習這種行爲的對象。但是，我沒興趣花力氣去探究虛無縹緲的原因，我傾向只將力氣花在我可以控制的事情上。

然後，這樣的情況，持續了一個月吧。我是個個性很溫柔的人嗎？不是。但是我對當時自己的感覺記得很清楚，「我就是沒有對孩子生氣」。

當我沒有生氣的時候，我是不會故意裝生氣的模樣來「嚇孩子」的，因爲生氣是正

常情緒的表現，不需要假裝給孩子看。「父母假裝生氣」其實只教會了孩子一件事：「下次父母眞的生氣了，我也不用太介意。」

然後每次隔了幾天，弟弟又出手打我時，我就將不可以打人的道理搬出來說一次。我對孩子總是有一種莫名的信心：這只是過渡時期，兩歲前的孩子還未成熟，他的行爲還沒有過分到讓媽媽生氣的地步，所以我必須給他更多的機會。

因爲長時間陪伴在孩子的身邊，當我了解到孩子其他的行爲都沒有異樣時，我就不需要爲了這一點點的小事來開鍘處罰他什麼。處罰，永遠是最後才需要拿出來用的教育手段。

我知道很多父母都是這樣想的：「小時候是賊，大了就是強盜。所以我們一定要在一開始，就給孩子一個『下馬威』，讓他們永遠再也不敢了。」——這就是古代權威教育下的餘毒，下馬威是給包青天審案時用的，不是給當父母的用的。我們已經進步到二十一世紀的文明了。

結果，等事情持續到兩個月時，很不幸的，爸爸發現了弟弟的「不肖行爲」。媽媽還是堅持繼續跟孩子說道理，爸爸卻開了包青天的口：「這樣不行，我來揍他。男孩子，就是要用揍的。」

「你敢揍他，我就揍你。」哈，我當然沒這麼說，我只是心裡想想，不犯法吧。但是

夫妻是有默契的，爸爸當然沒有動手。三個月後——

弟弟打媽媽的動作，從此消失得無影無蹤。

也從此，我的兩個孩子，再也沒有給過我任何一次「明知故犯」的行爲。或許你會說，是我的運氣好，生到了天生的乖孩子。

如果，我的孩子，是道理說了，還是將一盤剛上桌的菜，掃到地上去呢？這要怎麼辦？

「給孩子機會，給孩子改正的機會」，這一直是我教養孩子的中心思想。

孩子第一次犯了重大的錯誤，我會好好地跟孩子說道理。「一地的菜飯和杯盤狼藉」，對很多父母來說，一定是二話不說就先把孩子打一頓。其實，不管你有沒有打他，光是看到大人們一臉的錯愕，沒有哪一個小孩會不知道自己做錯事了。

如果是我，當下我可能會選擇一句話也不說。因爲不需要假裝，任何父母當下都一定是嚴肅的，「寒」著一張臉收拾殘局。事後，有可能就是在收完殘局之後，我會鄭重地跟孩子

說：「這是不對的行爲，如果你今天打破的是一杯滾燙的水，如果是你的皮膚被燙傷的話，會紅紅的、皺皺的，永遠不能再變回現在這個光滑平整的模樣了……」然後接下來，請一定要唱作俱佳（但不是嘻皮笑臉），「你會很痛很痛，媽媽也會很傷心很傷心。如果今天你打破的是自己最喜歡的杯子呢？被垃圾車載走的破杯子，是永遠不會再回來的……」

這樣，可不可以說上三分鐘呢。如果你還有耐心，可以上網找張燙傷照片給孩子看一眼，這些都包括在說道理之中。

我猜想，一百個孩子，有九十九個半，不會再有下一次了。（救命哪，我就是那半個孩子的媽。好吧，之後我會再談那半個孩子的父母可以怎麼做。）

不論孩子能不能「不貳過」，父母永遠都要給孩子機會。我心裡一直有個聲音告訴我：「只要父母相信孩子會改變，他就一定會改變。」只怕，孩子還沒眞正變壞呢，父母就早早給他們貼了標籤了。

不要急著處罰孩子。如果不動用到處罰，孩子也眞的不再犯了，那不正是教養孩子的更高境界嗎？

孩子很早就聽得懂父母說的話。多早？早在你還不相信他聽得懂的時候。

父母不要憑空消失

你急著要出門去上班，可是小小孩不會放過你，「眼睜睜地看著我最心愛的人，從我眼前消失，有什麼事會比這件事還令人痛苦呢？」親子間勢必會演出一場生離死別的戲碼，怎麼辦？

這是我第一次，認認眞眞地跟姊姊說道理，那一年，她才剛剛滿一歲半。

我和先生結婚後獨力在台北租屋生活，懷老大之時，大家的共識，就是交給不住在台北的爺爺奶奶帶，我們週末再回去看孩子。可是，做媽媽的啊，總是要等到小孩抱在懷裡的那一刻，才知道「我是多麼的捨不得離開孩子」。

哭也沒有用，我哭得好傷心啊！送走姊姊的前一天，我嚎啕大哭了整晚，但孩子還是要送走，不然都要工作的爸爸和媽媽，誰可以照顧她呢？

但是沒多久，我就發現：孩子必須帶在身邊，如果我錯過了教養她和培養親子感情的最好時間，那將是一輩子都彌補不了的遺憾。於是，在姊姊一歲半的時候，我商請退休的父親來跟我同住，然後又找到了一個可以到家裡來幫忙的褓母，就這樣，孩子終於重回了我的身邊。

要適應台北的新環境，孩子一定不習慣，於是我特地請假一週，在家陪孩子適應新環境。白天相安無事，但到了晚上要睡覺時，姊姊卻不肯進房間睡，一定要待在客廳的沙發上，看著大門口哭泣；她的意思很明顯：「這不是我平常睡覺的地方。那裡有個門，誰可以帶我出去呢？」我和先生都毫無怨尤地承受著一切，慢慢地陪著她，因爲我們知道，孩子需要適應的時間。

一週過了，媽媽終於到了要去上班的那一天。我還記得那天早上，我和先生一切穿戴整齊，已經走到門口了，姊姊抱在外公的手上，雙方人馬對峙，父母要怎麼出門呢？

但是，我心裡已經打定好主意，很多父母使用的「趁孩子不注意偷溜法」，我不準備用。因爲上班是例行的事，我不能每天都對著孩子做出「偷偷摸摸」的行爲。

大門都已經打開了，先生就站在我旁邊，我先問姊姊：「爸爸媽媽要去上班了，你在家跟外公玩，我們晚上就回來了，好不好？」

想當然耳，搖頭，不好。

於是我再說：「爸爸媽媽每天都要去上班，上班賺錢，才能買你最愛吃的麵包，你在家裡跟外公玩，現在天亮亮的，」我還記得當時我看著窗外天空的那一幕，不過姊姊只是瞪著媽媽沒有回頭看，「等到天黑黑的時候，爸爸媽媽一定會回來，而且會帶你最喜歡吃的麵包回來。」

「爸爸媽媽現在去上班，好不好？」

想當然耳，搖頭，不好。

於是我又說一次：「寶貝，爸爸媽媽一定要去上班的，因爲老闆在公司等我們，如果我們沒去，老闆會很傷心，而且沒去上班，沒賺到錢，就沒辦法買麵包了。」

「你看，現在天亮亮的，等到天黑黑的時候，爸爸媽媽一定會回來，而且一定會帶你最喜歡吃的麵包回來。」

「爸爸媽媽現在去上班，好不好？」

天啊，怎麼會有這種媽媽，一樣的話說這麼多次，你煩不煩哪！

當我說到第三次吧，其實我當然記不清當時的「這番說辭」我總共說了幾次，不過至少三次，然後最後一次當我又問「寶貝，爸爸媽媽現在去上班，好不好」時，奇蹟出現了——她竟然點頭了耶！

雖然看得出來，她點的這個頭有多麼的不情願，不過孩子是很說話算話的動物，然後我和先生趕緊一邊讚美她一邊關上大門出去，「你好勇敢啊，爸爸媽媽天黑黑就會回來呦，還會帶你最愛吃的……」這話語，現在依然還迴盪在那小小的公寓樓梯間裡。

如果我是小孩，心裡一定會想：還是讓她走吧，不然她好像準備一直說一直說，說到天黑，這樣太可怕了……。所以結論可能是：小孩不見得是聽懂了父母的話，而是「如果不快點妥協，我會被煩死」！

說實在的，我當時哪會知道，我這麼說下去，她會點頭呢。一歲半的小孩啊，點頭

放父母去上班，我也不相信呢。其實我當時只是抱持著一個信念：我好好跟你說道理，你會懂的。

遇上類似的情況，「偷跑」是父母最常用的方法。我會說，我寧願當面跟你說道理，即使最後你還是不點頭，而我又到了非走不可的時候，不管你哭得多大聲，我還是會硬生生地關上門走掉。我覺得，我寧願讓你眼睜睜地看我走掉，然後嚎啕大哭……

「偷跑」根本是掩耳盜鈴的作法。父母偷跑，孩子就不會哭嗎？唉，照哭不誤，可能哭得更久更大聲，不同的只是：你聽不到而已。

好好跟孩子說道理，即使當時姊姊還不會說話呢，她也絕對聽得懂媽媽說的話。她不只聽得懂，還是很懂呢，只差沒跟你說「我知道，你不用再說了」。但是我也知道，「聽得懂」和「做得到」是兩件事情。不過，只要孩子聽得懂，即使他做不到點頭讓父母離開，但是他的心裡會有一整天的踏實——爸爸媽媽天黑就會回來了。

而「偷跑」呢？父母和孩子都得不到半點好處。因爲，「隨時會憑空消失的父母」，對孩子心裡的安全感，只會產生負面的效果——孩子怎麼知道，星期天的午睡起來，爸媽會不會又不見了？公園的溜滑梯上，爸媽會不會又消失了？……「小小孩，最害怕這種不確定的感覺」，這是育兒的基本常識，不，這是人性的基本常識，「你可以忍受你的先生來無影去無蹤嗎」？

我多麼希望當時有人幫我拍下了——姊姊當時點頭的模樣。她可愛的小腦袋瓜一點下，就開啓了媽媽的另一個人生。

後記：

「這最不好了，孩子會很傷心。」

弟弟一聽到竟然會有父母用「偷跑」的方式離開孩子，就忍不住評論了起來。

對小小孩説道理，要具備唱作俱佳的本領。
怎麼將道理説得好像在説故事，讓孩子彷彿進入了那個故事裡，是需要慢慢練習的。

父母的戲劇表演課

這幾天的香港，天氣熱到了極點，爲了書稿已經寫到幾近走火入魔的我，又遇上隔壁鄰居裝修房子，「喀喀喀」的敲牆聲，從早到晚，這眞是加速寫作人腦神經衰弱的最好幫兇。於是，我只好收拾起手提電腦，「移師」到社區裡的活動中心繼續奮鬥，有免費的冷氣可吹，也安靜得很。

昨天，這位日本媽媽主動開口跟我說話，我們不熟，但她是我的偶像：她的老大、老二已經十三和十二歲了，卻接連著又生了老三和老四。這天她剛好帶著才三個月大的女兒和兩歲半的兒子，在兒童遊戲間裡玩耍。當我一邊趴在地毯上逗弄著可愛的小嬰兒，一邊跟這位媽媽閒聊時，她那兩歲半的兒子卻突然拿起了保齡球瓶往媽媽這邊丟來。

見過這個小男孩很多次了，屬於典型的非常好動又大膽的孩子。當他將第一個保齡球瓶丟給媽媽時，因爲冷不防，兩公尺外的媽媽趕緊接下（小孩玩的保齡球瓶雖屬塑膠材質，但卻是厚實的那種），我眼睁睁地望著小男孩，緊張的情緒立即升高，因爲小嬰兒就在保齡球瓶拋物線的下方。

接著，小男孩想要再丟另一個球瓶，日本媽媽說：「不可以，不可以。」這時，我看見了小男孩遲疑的眼神，但是，他沒有輕易放棄這個剛剛才發現的好玩遊戲，遲疑了兩秒鐘後，小小的手臂並沒有放下保齡球瓶，反而有再次舉高投出的傾向。

這時日本媽媽又說了：「不可以，不可以。」已經說第二次了，但是，日本媽媽說「不可以」的語氣和音量，與第一次的沒有什麼差別，中立而堅定，聽不出責備的意思。

照我對好動小孩的認知，他媽媽應該早就一個箭步地，搶下了他手裡的危險東西才對；照我對天不怕、地不怕小孩的推斷，他應該不管他媽媽說了什麼，第二個瓶子早已

經飛了出來才對——可是，這些都沒有發生。

當小男孩聽到媽媽第二次說不可以，然後又要陷入第二次遲疑的時候，日本媽媽做出了一個簡單的表演：一個球瓶飛過來，一把打中媽媽的腦袋，然後媽媽傾斜跌倒。當中有幾句日文，我當然聽不懂，但是需要聽懂嗎？看她的表演，沒有人會不知道那是什麼意思：「不可以丟，這樣有人會受傷。」

結局很令人意外：小男孩就放下了球瓶，繼續去玩其他調皮大膽、但沒有立即危險的遊戲。

這當中有一點，或許很少人會注意到：當小男孩放下球瓶時，眼睛還直直地盯著媽媽看，然後眼神裡明明白白地流露出：「哦，原來是這樣啊！」的神情。

同樣的場景，如果換了一個家庭，可能上演的是：連續大聲喝斥孩子，接著一把搶下孩子手中的東西，然後再氣急敗壞地將小孩痛罵一頓……

父母，不要隨便罵孩子，即使孩子做錯了事。如果可以不用罵，孩子就學會了其中的道理，爲什麼非走上「罵孩子」的這條路呢？

我的意思並不是：「父母不可以罵小孩，罵小孩的都是壞爸媽。」只是，沒有節制地胡亂罵孩子，其實只會模糊事情的焦點。常常被一陣罵「襲擊」的孩子，你覺得他聽得清楚——父母想表達的重點到底是什麼嗎？

日本媽媽的重點只有一個：球瓶打到頭會受傷。她透過簡明扼要的肢體語言，很清楚地把訊息傳達給了孩子。如果她以一陣罵人聲取代表演動作，你覺得小小的孩子能夠在混亂的語言當中，聽得到父母要說的重點嗎？

父母一個簡單的動作，將道理融合在自然的肢體表演裡，也是教養孩子的一環。教導孩子，不要這麼嚴肅，有時要展現一下父母的幽默感和想像力。

回想我每次跟孩子說道理時，我都有一種感覺：好像我的心裡有一本故事書，然後我只是將裡面的故事，透過媽媽的口語，說給孩子聽而已。所以，每次媽媽要開始說道理時，姊姊弟弟那兩對骨碌骨碌期盼的眼神，常讓我誤以為自己是要跟孩子說故事呢。

「說道理」好像在「說故事」，眞的有這麼神奇的事嗎？

我們這一代的爸媽，除非他的職業是演員，不然人生可以接觸戲劇表演課程的機會，恐怕不多；所以何不拿孩子來試試自己的演技呢？盡情發揮你的想像力和創造力吧！上舞台你可能會怯場，但是在孩子面前，父母應該是最能放輕鬆的。到時你可能會發現：眞正神奇的，永遠是孩子，不會是爸媽。

不要隨意開口罵孩子。什麼叫不要隨意？今天先說道理，明天再罵人。如果同樣的話，你明天還罵得出口的話，就算不隨意。

我的孩子不吃飯

「我的孩子不吃飯，這要怎麼跟孩子說道理呢？」

對大多數新手父母來說，第一個困擾他們的問題，就是孩子「吃」的問題。經驗告訴我：中國人是最愛讓小孩子吃東西的民族。這種情形如果落在祖父母輩身上，將更爲嚴重：餵多少食物、哄騙多少食物進孫兒的肚子裡，好像是沒有限度的；甚至，「我有個胖孫兒」在他們心中，都有著無比崇高的地位。

當新手媽媽時，我也有過這樣的困擾：真的要喝這麼多牛奶嗎？

半夜小嬰兒只要有個風吹草動，他的嘴裡，一定會被以迅雷不及掩耳的速度「塞」進一瓶奶；不喜歡吃飯的小小孩，「你看窗戶外面有大野狼！」然後算好時間、出其不意地「塞」進一口飯……。喝奶、吃飯，不是人類的本能嗎？需要這樣「幫忙」小孩吃東西嗎？

通常，家裡的第一個孩子，都有「不吃飯」的問題。我開玩笑地說：「不吃飯的孩子全都送到非洲去，你看他們吃不吃。」吃，全都會吃。肚子餓了當然會吃。所以不吃飯的孩子，問題出在哪裡了呢？答案就是：因爲他不餓嘛！

我說，現在的孩子有另外一種「可憐」，因爲從來沒有「餓」的機會。肚子還不餓的時候，大人就已經開始「餵」下一餐了。因爲大人將「餵小孩吃東西」視爲第一等的重要大事，所以，孩子很容易在還不覺得餓的時候，下一餐的食物又來了。更慘的是：孩子沒有不吃飯的權力。因爲大人會想盡辦法，連哄帶騙地將食物塞進孩子的嘴巴裡。

大家請用同理心想想，如果你餐餐都是在不餓的情況下，被逼著將眼前的食物吃光，這樣算不算「可憐」呢？

「肚子餓了，再吃東西」，這才符合最基本的幸福標準。

那又爲什麼小孩不餓呢？第一，因爲除了正餐，他還吃了很多零食。第二，現在孩子的活動量太少，不活動只睡覺，肚子怎麼會餓呢？

所以當我接手自己帶小孩後，我就在心裡打定了主意：不需要強迫孩子，在吃飯的時間，一定要吃飯。但是如果正餐沒吃完呢？那麼在下一餐之前，孩子是不可以吃任何零食的。如果在沒吃零食的情況下，孩子到時還是不吃飯呢？那就表示他不餓，就再餓一餐，我不信你不吃。

可是問題的癥結總是在：孩子在非三餐時間喊餓時，父母不忍心不給他們零食。結果，惡性循環就開始了——吃了零食後的孩子，到了正餐時間又不餓，然後大人又開始擔心，小孩又開始被逼迫。

但是，這種惡性循環，我是有變通方法的：正餐沒吃或是沒吃完，我會將菜飯收起來。如果你餐與餐中間喊肚子餓，我就把正餐搬出來，再給你吃。

「媽媽，我肚子餓。」孩子總是喜歡在非吃飯的時間，貓哭耗子地喊餓。

「冰箱有綠豆湯。」媽媽說。

「我不想喝綠豆湯。」

「那你肚子就是不餓。」如果眞的餓，一片白吐司也可以吃得津津有味。挑剔，常常只是孩子想吃垃圾食物的藉口。

所以，即使吃飯時間不固定，沒關係。我只要保證你吃下肚子裡的東西，每一樣都是健康有營養的食物，我的責任就算完成了。多吃一點少吃一點，不重要，重要的是：孩子最後吃下肚子的是什麼。

所以，吃飯這件事，不用跟孩子說道理。它是上帝賦予人類可以延續下去不滅絕的本能之一，父母只要遵循著這項自然法則來養育孩子就好了。道理就在：餓了就會吃，不餓就不用吃。不用父母開口說道理，孩子的生理現象就會告訴他該吃東西了。

肚子裡的小天使

那麼「睡覺」呢？孩子不喜歡睡覺，同理可證嗎？——不喜歡睡，就是不累；不累，就不需要睡；累了，自然就會睡……

天啊，這當然不行囉。因爲孩子是天底下最討厭去睡覺的動物。但是就健康的觀點

來看，晚睡，對孩子的成長發育，是極不利的。

十年前的某一天，當我在跟姊姊弟弟說道理時，我突然發明了一個好用的名詞和說法：肚子裡的小天使。

我跟孩子說，每個人的肚子裡，都住著好多小天使。於是，當我要孩子睡覺的時候，我不會說「你需要睡覺了」，卻會用「你肚子裡的小天使要睡覺了」來代替。

這雖然是我隨意發明的說辭，但如果以心理學的觀點來看：助人爲快樂之本，這是人的天性，當你幫助了別人，知道別人有快樂的感覺時，你也會跟著高興起來。有時候，甚至別人的高興比自己的高興還重要。所以這個說法骨子裡代表的就是：「我自己不想睡，但是我要替肚子裡的小天使著想。」

這項「利他式」的鼓勵，我一用就是十年。直到日前，有一天弟弟生病了，我又脫口而出「小天使」三個字，這時，卻聽到已經上國中一年級的姊姊，在一旁自言自語地咕噥說：「哪有——什麼——小天使。」一副就是「我們的媽媽眞是誇張到不想理她」的表情。不過，你其實沒有發現，她說這句話的同時，心裡卻是滿滿的童年幸福。

有事沒事，找孩子聊上兩句閒話吧！父母的長處，絕對不會只在養家活口上。

爲什麼生病要吃藥？

你還記得很小很小的時候，如果生病了，父母是用什麼方式讓你把藥吞進肚子裡的？

我對我自己的印象已經模糊了，倒是對小我兩歲的弟弟的遭遇，還殘留著一點點記憶：

小孩抵死不肯張開口吃藥，嘴巴閉得死緊。可能是我的父母吧，其中一人抱住小孩，讓他在懷裡躺下，隨時準備五花大綁似的，將小孩束縛住；另一個人，一手拿著一只倒好藥水的湯匙，另一隻手捏住小孩的鼻子，然後趁小孩張口大哭之際，迅速地將藥水灌進小孩的嘴裡，而且要灌得越深越好。我彷彿還聽見大人的話語：「先倒一半就好，免得他等會兒全吐了出來。」好像恨不得能將藥水略過食道，直接倒進胃裡最好。

「媽媽，爲什麼要捏住鼻子？」小小年紀的我，有一年好奇地開口問了。

「因爲這樣鼻子吸不到空氣，就必須用嘴巴呼吸。」哦，這就是我人生的第一堂自然科學課。

可是，每回想到那個模糊的記憶，都讓我有一種不寒而慄的感覺；對死刑犯強灌毒藥，大約也是這般光景吧。這也讓我聯想到某部古老的電影，皇帝要將某人「賜死」，其中一個殺人不見血的死法就是：準備足夠分量的手帕，把人平躺綁好，

然後將一條一條的手帕浸濕後往人臉上蓋；足夠的手帕，可以在幾分鐘內致人於死……

基因會遺傳，教養方式也會遺傳

不好的教養方式，如果不知道或不願意改變，是會像細胞中的遺傳基因一樣，一代一代地傳下去的。當我做了新手媽媽，孩子也遇上了需要吃藥的時候，姊姊從小由長輩帶著，餵藥的方法，當然也是延續上一代的作法。

我還記得大人和小孩都一起雞飛狗跳的慌亂場面，還有媽媽心裡的不忍——

「你抱好孩子。」有人負責指揮。

「你先將藥準備好。」有人被分配到該做的工作。

「然後我一捏鼻子，你就快速灌進去。」

再作最後的交代：「分兩次，不要一次灌完。」

最後大功告成……。與三十年前的場景，並無二致——每次孩子當然都是哭得死去活來。

小時候不可抹滅的心靈傷害，對人生的未來有著不可預測的殺傷力……。好像，嗯，心理學家佛洛依德有這麼說過。不過專家說專家的，他們說的話從來不是我教養小孩的依據。我總喜歡循著人性和同理心來教導孩子。傷害？我並沒有將它想得這麼嚴重。

但是，我們非得這樣對待孩子嗎？有沒有更人性的作法呢？來，我們再來用同理心想事情：如果你遇上了一件自己非常不喜歡做的事，然後有兩三個人用暴力將你五花大綁地綑住……嗯，就說是拔牙齒好了。你死命地掙扎，但鉗子就硬生生地……

眞正可怕的，不是吃藥這件事。一個小小的孩子，完全無力反抗，卻要被幾個大人這樣強加對待，難怪孩子聽到吃藥就覺得害怕得要命。因爲那種被脅迫的感覺，比吃藥這件事，還要可怕上五百倍。

其實，既然是給小孩喝的藥水，大概不會有這麼難以下嚥的苦，苦的程度，都應該是在孩子可以忍受的範圍內。如果今天是小嬰兒，吃藥這件事，多半是不構成父母困擾的；通常是等孩子一歲之後，會表達自己的意見，也會打踢推拉地反抗時，才讓大人有使出脅迫手段的需要。

教養的事，沒有人可以事先知道結局

看著姊姊的吃藥過程，媽媽心裡已經計畫著要「反抗」傳統了，但是要怎麼做呢？其實事先我並沒有完整的方案。直到有一天，弟弟已經一歲多了，在吃完晚飯的客廳裡，幾乎不生病的他，那天不知爲什麼需要吃藥；小家庭的我們，祖父母剛好來訪，一聽到有小孩子要吃藥，他們馬上覺得「有事可做了」——

「不要這樣餵藥，我有辦法。」我斷然地拒絕了長輩的作法。你說話的語氣必須嚴肅且堅定，不然長輩是不容易放棄他們的「祖傳作法」——

「這樣最快了，說道理有什麼用呢？小孩怎麼聽得懂？你們這些年輕人啊，就是沒事找事做……」這些話依然在我的耳邊迴響著。

然後，我就開始跟弟弟說起「爲什麼要吃藥」的道理來了：

1 弟弟，當你生病的時候，就是有壞細菌進到了你的肚子裡面。然後你肚子裡的小天使，為了要保護你，他們就出來跟壞細菌打仗。

2 為什麼你會發燒呢？因為小天使必須要用熱熱的感覺來通知你，告訴你有壞細菌來了，我們要幫身體打仗了。

3 為什麼生病的時候，要多睡覺、多喝水？因為如果你不睡覺，小天使沒休息，就

沒力氣打壞細菌；而且一直打仗的小天使，也會口渴，所以你要再多給他們一些水。

4 為什麼生病要吃藥呢？因為負責打仗的小天使，需要的食物就是醫生開的藥，不是你平常吃的飯，所以你必須把藥吃了，這樣小天使才有力氣幫你打仗啊！不然小天使都沒吃東西，要是全都昏倒了，怎麼幫你打壞細菌呢？（請在此時做出昏倒狀，要是你願意直接倒在地上滾兩圈做出口吐白沫狀的話，上帝會給你拍拍手。）

我還記得當時的場景呢，不到兩歲的弟弟，一身家居的白色背心和短褲，肥嘟嘟的可愛模樣；我先在沙發上跟他說，第一次聽完媽媽的道理，他往房間跑表示不答應；然後我又跟他到房間再說一次，這當中我會跟孩子預告吃藥可能遇上的感覺，「藥水有一點苦苦的味道，可能你喜歡，可能你不喜歡，但是快快吞下去，然後媽媽再給你一大杯水漱漱口就好了。」

然後他又跑回了客廳，但是媽媽的道理如影隨形，根本甩脫不掉。

然後他開始用逃避的方式，從沙發A跳到沙發B，再從沙發B跳到沙發C；還好我們家就只有三個沙發，不然還不知道會怎樣地沒完沒了呢？媽媽每說一次道理，孩子的內心壓力一定會升高一些，其實媽媽的內心何嘗不是壓力重重，「最後是誰贏了呢？」

每一個教養的故事，我從來都不會事先知道結局，但是我卻清楚知道一件事——我的耐心比你夠。

最後，小小的孩子，坐下來，仰頭，讓媽媽將藥水倒進去。我不知道最後弟弟爲什麼要答應我，我也不知道他哪裡生出來的勇氣，但是，他就是做到了。

而且，弟弟吞下藥後的那個表情，明明白白地顯示出：「這麼簡單的事，根本一點困難也沒有，大人幹嘛弄得這麼緊張？」從那一天起，媽媽喊吃藥時他就張口，我不需要使出一點點的脅迫，孩子也不需要一點點的反抗，這不是皆大歡喜嘛！

我花了十五分鐘的耐心，換來的只是吃藥這一件事嗎？那大人就太小看孩子了。當父母開始用道理說服孩子的時候，小小的孩子也將學會一件事：有理走遍天下，無理寸步難行。懂道理、守規矩的孩子，就漸漸成形了……

不論多小的孩子，請好好地跟他們說話。因為這樣的習慣，將會一代一代地傳下去。反之亦然。

爲什麼人要吃青菜？

天地間的每一件事情，都有其存在的道理。即使沒有絕對的「對和錯」，也會有禮教上的「應該與不應該」。通常需要跟小孩說的道理，都是在父母智商可應付的範圍之內。

愛孩子的父母都知道，小孩的三餐裡，青菜是一定不能少的。但是，如果遇上不愛吃青菜的孩子呢？（有愛吃的嗎？父母眞該去大大擁抱和感謝孩子。）這不是選擇題，不

愛，也得要吃。但是，我會在給孩子規矩之前，先跟他們好好說道理。只要道理說得好，孩子都是很愛聽的。

為什麼要吃青菜？「因爲健康的身體，需要青菜啊。」這樣的道理是說不進孩子的心坎裡的，說了等於白說。

「因爲我是你媽媽，我爲了你好，叫你吃，你就要吃。」這樣的說法只有幾年的效用，之後的反彈會更讓你傷透腦筋。

當時，我是這樣跟姊姊弟弟說的：「食物從嘴巴進去後，會經過一條長長的管子，叫食道，然後食物會進到一個容器裡，叫胃；」此刻，請用雙手比出洗衣機攪拌衣服的模樣。

「胃裡有很強的液體，會將你吃進去的食物磨得碎碎的；然後食物就進到一圈圈的腸子裡……腸子會將食物推啊推的……最後，就變成你每天大的大便了。」第一次聽到這個故事的孩子，一定會有一陣竊笑，但是你不要理他們，一定要很正經地繼續說，因爲如果被小孩岔開了話題，「什麼大便啊，噁心啊。」父母就很難將道理說下去了。

「可是你知道嗎？因爲青菜粗粗的，跟蛋糕不一樣，粗粗的青菜在通過你的腸子的時候，會順便將你的腸子刮乾淨；」這時候最好比手劃腳一番，表演出青菜擠過腸子的感覺。

「如果你不吃青菜的話，哇，你的腸子沒人幫忙清乾淨，每天有食物經過，腸子的牆壁上就會越來越髒、越來越臭……」我話鋒一轉：

「你希望你的腸子髒髒臭臭的嗎？」

當姊姊弟弟還是小小的時候，當我要請他們將青菜吃完的時候，我就會說起這個「青菜纖維幫忙清腸子」的故事。然後之後，你可能有機會會聽到小小的孩子——姊姊向弟弟覆述這個故事，或是自言自語地說：「不吃青菜，就沒有人幫忙把腸子清乾淨了……」

人，在完成一件需要意志力的事之前，往往需要一種說服自己的說辭。也就是所謂的理由。不然，爸爸怎麼能每天早起去上班呢？媽媽怎麼能每天照三餐唸故事書給孩子聽呢？爸爸媽媽怎麼能犧牲自己的享受，而成就孩子的童年呢？

小孩子，更需要一種說辭。即使他們不喜歡吃藥、不喜歡吃青菜、不喜歡睡覺（小孩子不喜歡的事情多如天上繁星啦）……，當你給了他們一種說辭後，可以幫助他們更容易地完成父母規定的行爲準則。而且這種說辭，不可以是空洞難理

解的，也不可以是權威無理由的，必須是他們當下的年紀聽得懂的話語。

當父母願意拿出耐心，將每一件事的原委說給孩子聽的時候，也就是孩子願意開始「聽父母的話」的起點。

要給孩子「頂嘴」的機會。

頂嘴是父母的定義，在孩子的字典裡，那叫「討論」。

喜歡唱反調的孩子

「你喜歡你的腸子髒髒臭臭的嗎？」一定有孩子會回答：「喜歡。」

老實說，姊姊弟弟小學都要畢業了，我想不起來，他們有任何一次，故意跟媽媽唱反調的。我不是說他們對媽媽的話都無異議地接受，沒有，孩子越大，跟媽媽意見相左的機會也越來越多、越來越猛烈。但是，不論我們的爭論有多麼激烈，總是就事論事，雙方從來都不習慣讓事情走上「意氣用事」的結局。

也就是說，媽媽從來不說：「你這樣不聽話，我就讓你自生自滅好了。」這就是意氣用事的說法。你眞的會讓你的孩子自生自滅嗎？你根本做不到的事，卻用嘴巴清清楚楚地說出來，這就是父母頭腦不清楚的時候了。

喜歡意氣用事的孩子，是喜歡意氣用事的大人教出來的。

從一開始，父母對待孩子的方式，不管孩子有多小，如果都能堅守不意氣用事的方法，自然而然地，孩子就會用「明理」的方式來回應父母的管教。

多年前的一個午後，天空下著小雨，我撐著傘正要去接小一的姊姊放學，走著走著，我發現，五公尺外的對面人行道上有兩個人在「吵架」，大的是身高約一八〇的爸爸，小的是不成比例嬌小的女兒，才三歲吧。不知道什麼事，兩人有了「不同意見」，結果女兒哭了起來，爸爸一看孩子哭，就開始了意氣用事的行爲——

拿著雨傘掉頭走了兩步，意思很明顯：「爸爸要丟下你走了，看你還聽不聽話。」然後呢？小孩也不是省油的燈，「你用你的意氣用事，我不會嗎？」小女孩索性往濕濕的地上一屁股坐下去……

我遠遠望著一高一矮的兩個人，其實這兩個人的權力大小，是不成比例的天差地別（沒有父母照顧的小小孩，光是活下去，都有其困難度），看似小孩是永遠贏不過大人

的。但是我心裡想的卻不是這樣：父母永遠只能贏得面子，骨子裡的贏家永遠是孩子。

因爲你永遠愛孩子比孩子愛你多。所以有一天，孩子可以眞的留下你揚長而去，但是你不能。父母永遠做不到。

「父母掉頭就走」是大家常用的戲碼，但是我勸你，千萬別用。因爲如果有一天孩子跟你說「他喜歡腸子髒髒臭臭」的時候，那就是他已經學會了你的意氣用事的時候。

舉目看看我們周圍的大人，有多少人在「意氣用事」地活著？

爸媽帶著孩子出去玩，好不容易到了風景名勝，大人卻當場吵起架來，吵架也罷，這位爸爸竟然調頭就回家了，完全不顧母子女三人流落荒郊野外……。這是某位讀者媽媽的故事，我看了只能搖頭嘆氣：這樣的大人，能有什麼幸福的日子可過呢？還連累了家人一起受罪。看到這樣的故事，我會忍不住想對孩子說：「姊姊弟弟，結婚時眼睛要睁大啊，要看清對方的人品哪！」

天底下沒有天生就壞的孩子

如果你的孩子已經喜歡跟你唱反調了，而且明顯地是想故意挑戰父母的權威，那該怎麼辦？

不論是面對三歲或是十三歲的孩子，當下我一定會生氣，因爲我是一個講道理的媽媽，當然不能忍受孩子跟我說一些「五四三」的話，目的就是想將事情就此「混過去」。不過生氣是一回事，好好處理親子衝突又是另一回事——

「父母停止說話」將是我處理孩子故意唱反調時的作法。

當溝通的一方，已經開始不理性的時候，就應該是溝通結束的時候。

親子間的溝通變成「抬槓」時，只會讓父母更生氣而已，而這通常就是愛唱反調的孩子最想見到的結果。「父母氣不過，所以繼續跟孩子抬槓」不只讓你達不到教養孩子的目的，還可能讓情況變得更混亂、更複雜。

這是我的發現，你也可以觀察看看：那些喜歡唱反調的孩子，甚至那些桀驁不馴的大人，他們的成長環境裡，是不是至少都有一位喜歡唱反調，或是喜歡用激將法與人溝通的大人。

有天看到一篇教養文章，主張小孩人性本惡的說法，認爲小孩的反抗叛逆行爲是與生俱來的，所以處罰即是。我不是上帝，自然不知道人性本惡或本善，但是想著姊姊和弟弟小時候的受教模樣，要我相信人性本惡，我心中是滿腹納悶的。

前天，剛好小五的弟弟下課，雖然他正在看課外書休息身心，我還是忍不住打擾他：「弟弟，你不是在學校有遇過很壞的同學嗎？有人說小孩天生就是壞的，你相信嗎？」他頭也沒抬，很平靜地回答我：「小孩怎麼可能天生就是這樣。」那是爲什麼呢？「當然是他爸媽沒教好。」

天底下沒有天生就好的孩子，也沒有天生就壞的孩子。如果他的周圍沒有「以身作則」的大人，孩子好不到哪裡去；如果他的周圍都是講道理的大人，孩子也壞不到哪裡去。教養環境，才是決定孩子向東走還是向西走的關鍵因素。

後記：

大約是兩、三歲的年紀，突然長大的孩子，會喜歡用「不」來表達自己的存在。如果感覺到孩子只是想跟父母玩耍的話，大人可以不需要太認真。但如果影響生活作息了，那就必須要好好跟孩子說道理。

從來不唱反調的孩子，到了一定的年紀，可能也會有想反抗父母的想法。

弟弟，從八、九歲開始，就開始喜歡用「唱反調的方式」跟媽媽「培養感情」。我從來不在意，因為，他完全可以掌握「什麼界線下才叫玩過頭」。

父母的權威，如果在孩子十三歲前，沒記得拿出來好好運用，之後，請千萬收好它。「下重藥」對任何年紀的孩子都不適用，尤其是青少年。

問題，不在你看得見的地方

昨天，有一位住在以色列的朋友請我幫忙寄故事書給她的孩子。晚上快十點了，我在中華郵政的網路上翻找著郵資、保險、所需寄送天數，正一個頭兩個大的時候，姊姊來問我：

「媽媽，我星期六可不可以到 YouTube 上看電影？」

「YouTube 又不是給人看電影的地方，不行。」孩子找媽媽的時機不對時，得到的答

案通常也不樂觀。

「可是我要看的，別的地方沒有……爲什麼不可以……」姊姊不服氣地咕咕噥噥一番。即將進入青少年階段的孩子，越來越多自己的意見。當時，我面對找不到資料的電腦，孩子又過了上床時間還沒睡覺，一時之間媽媽煩躁得不得了，那股不耐煩的氣焰，連我自己當場都感覺到了。

媽媽的不耐煩情緒，是可以理解的。有時候不同的壓力，即使都是小小的，但是當它們一古腦地在同一時間朝你衝來時，「不理孩子、不想處理孩子的問題」，是很可能的自然反應。

姊姊臉很臭地走開了。我的「NO」沒有討論的餘地。但是，當下沒給孩子說話的機會，就是媽媽該檢討的地方。二十分鐘後，當我幫她蓋上棉被說晚安時，我輕聲地對她說：

「以後有什麼事要問媽媽，先問媽媽有沒有空，如果媽媽說沒空，就等會兒再問，因爲當媽媽專心在做一件事的時候，是沒有辦法好好想你的問題的。」

當父母了解到是自己的態度不對時，也要勇於當下反省。然而，光是跟孩子說對不起，對於如何避免相同的錯誤再犯，並沒有實質的幫助。於是我用同理心，站在孩子的立場幫孩子想事情，然後就對孩子提出了這樣的建議。

我讓孩子知道：在「對的時機」提出問題，無論是現在對父母，或是將來對老闆，都對結果有加分的效果。

沒想到，姊姊開口說的話（在哀怨的口氣下）竟然是：「媽媽，今天我在學校一整天，都很不高興，我要媽媽抱抱。」

這時我才突然明瞭：原來，要求看電影只是導火線，即使我當場答應了她，她也沒辦法高興地去睡覺。孩子的心理需求比生理需求還重要，於是我斷然地又犧牲了她十五分鐘的睡眠時間，留下來繼續聽她將不愉快的事告訴媽媽。

父母看似應了孩子的要求，理應有個快樂的孩子才對，但是，如果孩子不說出他心裡的話……問題，往往都不在父母看得到的地方。

面對小小年紀的孩子，這樣的隱藏性原因，更不容易被發掘。因爲可能連小孩自己都不知道自己的脾氣來自哪裡。

「褓母說我的孩子很乖啊，可是爲什麼等我一接他回家，就猛給我找麻煩呢？」

「爲什麼弟弟一出生，哥哥原本已經會的吃飯、大小便，卻突然退化了？」

「我的孩子怎麼這麼頑皮好動呢？」當父母開始埋怨孩子時，有沒有先想想：他們有沒有足夠的活動空間和活動時間呢？小孩子最需要的一樣東西，就是跑跑跳跳。當姊姊弟弟小的時候，每天帶他們出門散步走走，我是把它當成老闆交代的工作似的，一點不敢懈怠。如果不讓孩子有足夠發洩旺盛精力的地方，卻老是嫌孩子調皮搗蛋，對孩子是公平的嗎？

有的孩子需要平靜的生活作息，有的孩子需要大量的人際互動，有的孩子喜歡看書畫圖，有的孩子喜歡運動跑步……，孩子越小，父母陪伴他的時間就要越多，因爲父母花比較多的時間在孩子身上，當然就可以更了解孩子的心理需求。

當孩子變得越大越難管教時，並不表示父母送他去學校管教就會比較好。先別急著送小小孩去上學，在學校能學到的東西，不會比父母給的更多。

後記：

「為什麼有些孩子喜歡唱反調？」當弟弟聽完媽媽寫的文章後，我拿問題反問孩子。

他用還帶著童音的聲調，說出了他的看法，媽媽當場嚇了一大跳：

「因為他們已經知道做錯事了，可能又已經被罵得很慘，被罵得很慘的時候，可能說『我做錯了』嗎？

「不可能，因為心裡很 Upset，很沮喪到無法承認錯了，所以只好選擇『唱反調』。」

弟弟說得頭頭是道。最後又補上一句：「我有經歷過。」

當小孩會開始聽你唸故事書的時候，就是父母可以開始跟孩子説道理的時候了。

說道理 vs. 唸故事書

「哥哥，你過來一下，媽媽有話要跟你說。」通常父母發出這樣的命令，孩子的皮就準備要繃緊了。看似我是一個很喜歡說道理的媽媽，但實際上，我和孩子之間，需要動用到「說道理時間」的機會，少之又少。

當孩子小的時候，我和孩子的每天作息就是：起床、吃早點、聽故事、玩耍、散步、回家吃飯、午睡、又聽故事、再玩耍、散步……日子總是沒有變化地一天過一天

（這裡沒有無聊的意思，而是一種幸福的描述），所以，媽媽哪裡會有很多道理好說呢？沒有。而且姊姊弟弟從小就是那種很少犯錯的小孩，既不調皮也不給父母找麻煩。

但是，沒有犯錯的孩子，父母就無話好說了嗎？

我反而覺得，在孩子還是很乖的時候，父母更要固定地花時間「跟孩子說話」。孩子即使沒犯錯，我們還是有很多機會，可以跟孩子解釋和討論做人處事的道理。

「為什麼去別人家玩，要等別人開口邀請？」

「為什麼見到人要點頭微笑打招呼？」

日常生活裡，需要跟孩子解釋的東西，眞的太多了。隨手捻來的一件事，都可以跟孩子說上個老半天。如果你有習慣跟孩子對話，就會發現，小孩基本上就是天生的哲學家，很多小孩說出來的話，我看蘇格拉底在世都會自嘆弗如。我深深覺得，我和姊姊弟弟，都在親子間的談話中，一起長大了。這其中的點點滴滴，就是「做媽媽和做孩子」的最大樂趣呢。

父母不因為孩子做錯事才搬出大道理來，而是隨時隨地都願意跟孩子說說話，就是孩子一路上願意當個好孩子的基礎。孩子是很會舉一反三的動物，當你願意跟孩子解釋A這件事的時候，說不定孩子已經學會了B那件事。

有人老是說我好像有兩個天生的乖孩子。請不要忽略，除了從他們很小的時候起，

我就願意跟他們解釋每一件事情的道理外，別忘了，我還唸了大量的故事書給他們聽啊。想像一下，有個小孩——

早上窩在媽媽身邊聽故事，故事書一本換過一本，小手上拿的可能是他最愛喝的優酪乳；聽完故事，腰痠背痛了，媽媽帶他出去外面透透氣，可能只是隔壁的小公園；吃完中飯，媽媽又開始唸故事書，很有可能只是因爲媽媽變不出別的把戲來消磨時間；然後這個小孩睡完午覺起來，精神還沒完全恢復前，媽媽又開始唸起了故事書，旁邊可能是他最愛吃的綠葡萄……還有晚上呢！……你覺得聽了這麼多故事，又有這麼多「媽媽陪伴」的孩子，要他變得不乖，是不是件很不容易的事呢？

你和孩子間的溝通頻繁嗎？

「願意跟孩子解釋每一件事情的道理」，其實跟「父母唸故事書給孩子聽」，是有很大的相似性的。在孩子學齡前，這兩件事，是有相輔相成的教養效果的。

在孩子還沒愛上書本之前，父母不能只拿著書照本宣科，我們必須像古代說書人那樣說故事，才能讓不熟悉文字的孩

子，更容易融入故事的情境裡。這就好像我們要跟孩子解釋一件事情的道理時，必須將道理融入生活情境裡，然後以說故事般的方式傳達給孩子一樣。這兩件事，骨子裡都傳達了同一個概念：

孩子的人格養成是多方面的，而其中父母和子女間的頻繁溝通，卻是將待人處事的道理和正確的價值觀，傳遞給下一代的最重要的管道。

> 最近我在唸故事書給五歲的女兒聽時，如果是她已經聽過的，她會很熱切地要跟我討論之後的劇情，一直急著要插話；感覺上她不是很專心地在聽我唸故事，只是滿腦子想著自己要說的話，這時候我該怎麼辦呢？

這是一位讀者媽媽的來信，父母在積極地唸故事書給孩子聽的同時，往往會將自己卡在一個「追求結果」的死胡同裡而不自知。追求什麼結果呢？那就是：故事書可以給孩子的東西無限多，所以孩子也要積極地聽，最好聽到能將整本書背起來，「這樣我對孩子花費的力氣，才可能無限地被擴大」。這也就是爲什麼有父母聽到我說「一本故事書可以唸三十遍」時，普遍覺得很欣慰的原因。因爲，一來，三十遍這樣的數字，應該與「背起來」有足夠的關連性；二來，讀這麼多遍，這本故事書才算值回票價。

對了，「値回票價」，就是上面說的那個死胡同的關鍵點。因爲它，當你在唸故事書給孩子聽的時候，只要孩子表現出任何不專心的舉動，父母的「票價」心態就出現了。其實這也無可厚非，買書的錢也是辛苦賺來的，我可能也只是五十步笑百步而已，但是，我會及時提醒自己，讓自己從這種上一代遺傳下來的觀念中快點醒過來。孩子的未來，連上帝都無法預測，父母這樣的功利心態，只顯示出了自己的短視而已。

當五歲的孩子，興奮地跟媽媽訴說自己喜歡的事情，而且還是跟書本有關的東西，光是這份情感的交流，就與「唸故事書給孩子聽」這件事，有著等量齊觀的分量了。

如果父母在孩子小的時候，不養成「與他對話、跟他說話、聽他說話」的習慣，等到有一天，你發覺，非得跟他說說做人處事的道理不可的時候，你覺得孩子會有習慣發自內心地聽你說話嗎？

當孩子想藉由書本跟你分享他的內心世界時，就是人生最美妙的時刻了。我們跟孩子之間的感情，還有人生價値觀的傳達，都是透過這些談話、交流而潛移默化衍生出來的。

有時候靠故事書幫我說道理，有時候靠我自己的道理來爲孩子說故事。有時候，到底是在說故事，還是在說道理，自己也分不清楚——如果能做到這樣，就表示我們做父母的功夫，已經到了爐火純青的地步了。

說道理的溝通模式，也適用於夫妻關係。
當我們跟另一半出現溝通障礙時，也要小心，下一個難題就是孩子。

當其他人開始插手你的教養時

兩歲的女兒，吃晚飯前說要吃餅乾。當你正準備要好好跟孩子說「爲什麼吃飯前不可以吃零食」的道理時，小孩子卻不死心地纏著你。這是難免的事。不過你聰明地知道，只要父母的耐心足，孩子是很願意遵守規矩的。就在你說得口乾舌燥、千鈞一髮快要成功之際，家中長輩，已經快手快腳、神不知鬼不覺地拿了一包東西過來，冷不防地略過你塞給孫子，說：「孩子餓了就給她吃嘛，吃一包餅乾不會怎麼樣的。」

這樣的類似教養場景，可能是現在有心要好好教養孩子的媽媽們，最大的痛苦之一——當其他人開始插手我的教養時。

將孩子帶離現場，是我遇上這種狀況時，唯一可用的方法。

其實它只發生過兩次。第一次是姊姊三歲左右吧，當時全家人都在客廳，也包括了最不能忍受「孫子不如意」的長輩在。當時姊姊因爲什麼事不聽話呢？完全不記得了，而且一定也是芝麻綠豆大的事，不過在教導孩子規矩的時候，就是不能放棄任何小事，因爲大錯都是從小錯開始的。

姊姊當時聽不進媽媽說的規矩，可能還嗚嗚地哭了起來，接下來的戲碼當然就是，疼愛孫子的長輩要出來「搶人」了。我還記得那個租來的房子，有個不大不小的客廳，我口氣嚴肅地說：

「姊姊，進房間。」我不是因爲孩子做錯事而要將她關在房間的意思。她如果進去，我也會馬上跟著進去。但是，她不肯。

於是，我就一把將她整個捉住，用「拖」的姿勢，將她當場帶離了現場。在這麼多人面前，將小孩強行拖進房間，即使對小小孩來說，也一定是件非常糗的事，而且這也似乎不是一個明理的媽媽該有的舉動。但是當下，我毫無選擇的餘地，因

爲我知道，媽媽不馬上這麼做的話，一旦孩子被長輩搶過去「保護」了，那麼，請問：教養要如何繼續？

請宣誓父母教養孩子的主權

孩子是很精明的動物，這是姊姊第一次被媽媽拖進房間，也是最後一次。從此沒再發生過第二次。媽媽當時的果決動作，其實昭告了兩件事：

第一、媽媽對小孩的教養規矩，沒有妥協的餘地。

第二、媽媽對小孩的教養責任，沒有別人插手的餘地。

如果你因爲情面，讓別人插了一次手，小孩將馬上學會在大人的管教中間「鑽漏洞」。「鑽漏洞」似乎是人的天性，人類也很可能就是因爲有這樣的天性，才可以在地球上「不滅絕」。但是，直到目前爲止，我很少發現姊姊弟弟出現過鑽漏洞的行爲和心態。因爲他們心裡很清楚，他們的媽媽什麼事都可能好說話，但遇到小孩的教養問題時，是沒有任何漏洞可以鑽的。

進了房間之後，該怎麼辦呢？我會先等孩子哭完，不論你要哭多久，反正等你哭好了，或是眼看快要哭完了，我才開始準備說道理。因爲在孩子「哭的興致」正高昂的時

候，對於父母的安慰都是不領情的，所以，你必須要捉準安慰孩子的時間，雙方才能「一拍即合」；也就是說，等孩子哭到尾聲準備來給媽媽抱抱時，這時候你才要展開雙臂，雙方才能無誤地演出「圓滿大結局」的擁抱戲碼。然後，父母才能開始上演「說道理」的重頭戲。

之後好多年，只要遇上需要「進房間」的情況時，姊姊和弟弟都會二話不說地進去，不管當下有哪個「權威人士」在場，他們都明瞭一件事：誰也救不了我的。

不過，小孩能一次就學會的事情，大人卻不能。長輩，通常不會一次死心的。這種孩子哭著進房間的機率，其實也不常發生，可能一年難得上演一次，而且好像也只集中在孩子三到六歲之間。

第一次，當我關了門準備教導孩子規矩時，長輩會自顧自地開門進來「救孫兒」，然後我再用堅定的態度請他們先出去。不過第二次，我就直接隨手把門鎖上。

可是你知道嗎？不馬上解救哭泣中的孫子，是最令長輩痛

苦萬分的事，所以他們還是可能來猛敲你的門，意思很明顯：不要虐待我的寶貝乖孫子啊，像你這樣狠心殘忍的媽媽，天底下再也找不到一個了！

沒錯，我就是必須要狠心。你不知道嗎？現在有太多父母，就是在應該狠心的時候不堅持，所以才會有這麼多被寵壞的孩子在路上跑。如果我現在開門讓你進來，老問題又出現了，父母的教養怎麼持續下去？除了不了了之，還有別的結局嗎？

而且，只要開了一次先例，就等於明明白白地告訴了孩子：這邊有漏洞，快點來鑽吻！除非你今後想對孩子的教養睜一隻眼閉一隻眼，不然，這不是將單純的事，越弄越複雜嗎？

我沒有意思說，媽媽的教養觀念一定都是對的。如果今天是夫妻雙方的教養意見不合，那該怎麼辦呢？那就需要雙方坐下來好好討論了。有時候出意見的一方，因爲只需要「出一張嘴」，常會把事情想得太容易，這時你就讓他設身處地地進入教養的當下，這樣他就會知道「媽媽是怎麼被逼瘋的」了。

還好，我的另一半非常支持我行使一個當媽媽的權利和義務；也還好，我已經過了「教養孩子時有人插手」的階段。現在除了媽媽自己，別人根本插不了手了，因爲孩子越大，需要媽媽傾聽的問題也越複雜，沒有受過「經年訓練」的人，是根本無法勝任這項

工作的。可是總有一天，可能我也會聽不懂他們的語言。不過，沒關係，那就是放手讓孩子自己飛的時候到了。

後記：

「孩子餓了就給她吃嘛，吃一包餅乾不會怎麼樣的……」媽媽唸文章的嘴還沒停呢，弟弟卻自導自演了起來，「拿餅乾過來的時候，你就將腳伸出去，絆他們一跤，然後說：『你老骨頭沒有這麼弱嘛，摔一跤也不會怎麼樣的。』」

等他把話全部說完，我足足想了三秒鐘，才意會過來他在說什麼東西。然後，哈哈哈哈哈，媽媽笑到讓弟弟側眼看我說：「有這麼好笑嗎？」

他不知道，他替全部的媽媽們，吐了一口不能吐的悶氣。不是我說的哦，和我沒關係。

你的孩子藐視你嗎？當三歲的小孩在玩具店的地上大哭大叫的時候，就叫藐視你。不是因為孩子天生就是惡魔，而是父母沒有拿出正當的權威來好好管教孩子的結果。

算了，算了

有一回，在新書宣傳的演講活動後，一位讀者特地跑來要給我建議，她劈頭第一句話就是：你有個主題忘了說。

我當場嚇了一跳，因爲一個半小時的演講，我特地準備了九個主題，每十分鐘換一個教養的議題；我心裡最初的想法是，每一位來聽演講的爸媽，都是排除萬難、千里迢迢而來的（果然當中有一位還拿出了當天來回花蓮的火車票呢），所以要讓大家都覺得有

收穫，都能得到一點育兒上的幫助，就是我衷心希望能做到的事。結果九個主題還不夠，哪一個漏掉了呢？這位讀者一開口，卻直指了現在父母在教育孩子上的最大盲點：

現在的爸媽，都太沒有原則了，這是教養孩子上最大的漏洞。

因爲她是一位教師，有機會看到最多的父母和孩子。她說得一點都沒錯，從最小的事「該不該買瓶養樂多」，到最大的事「幾歲可以交男女朋友」，父母的原則高高低低上上下下若有似無，這就是讓現代的孩子，在誘惑如此大的環境裡，最無所適從的癥結所在。

有沒有看過賴在玩具店不肯走的孩子，從大哭大鬧到躺在地上打滾的，都有之。你知道，孩子天生並不知道「耍賴」這件事嗎？直到大人給了他機會。

十年前的一個午後，我帶著姊姊到住家附近的7—11買東西，即使媽媽一向遵守「不應小孩的要求，買垃圾食物或飲料」的原則，但是偶爾買瓶養樂多，是唯一的例外。那天，媽媽說不能買養樂多，我們已經走到了商店的門口，不，應該說我們倆根本就是堵在那個已經打開的自動門中央……

還記得這家店剛好處在地勢較高的位置，門口外就有兩、三個往下走的階梯。我站在階梯上，姊姊站在門口不肯走，所以我倆的視線變成了平等的平行線——

小孩不肯走，媽媽不肯買，我還記得她當時委屈的小小身影，然後媽媽很有耐心地對著她說「爲什麼現在不能買」的原因。可是，她當下不只不能接受，最後還嗚嗚地哭了起來……，這對當時的我來說，是件不得了的大事。因爲我很愛孩子，平常我們也很少有衝突，總是親密而和樂地一天過一天。

最心愛的孩子哭了，只是要一瓶養樂多嘛，而且我們還堵住了老闆做生意的大門口，再加上自己沒有說服孩子的口才，這些種種都可能構成了父母覺得「沒面子」裡的最高級。但是，我當時完全不爲所動，即使《蘋果日報》派出狗仔隊來拍攝——我也是不可能在當下幫你買瓶養樂多的。

不知道僵持了多久，其實就頂多三分鐘吧，姊姊跟我回家了。這是她第一次「耍賴」，也是最後一次。

教養的字典裡，不該有「算了」二字

父母心目中的原則有很多，而且每個父母的都還不太一樣。到底要有哪些原則，這不是重點，重點應該是：我們有沒有堅守自己的原則，不輕易改變。還有，孩子的年紀越小，父母需要堅守原則的態度就必須越強烈，最好不要輕易讓例外的情況發生。我幾

乎十數年如一日地不讓例外發生。

「例外」，是要等孩子的人格趨於成熟和穩定後，才能拿出來變通的東西。

「算了，算了，就這一次吧。」當你的腦袋裡出現了這樣的想法時，請自己敲自己的頭殼三下，讓它清醒一些。父母的妥協，只會爲自己和孩子的將來，找來更多麻煩而已。

人是有惰性的。「算了，算了」當下對父母來說，當然是輕鬆了許多，因爲你不必再繼續跟小孩「纏鬥」下去，而且還不知道最後誰贏誰輸。可是一旦你妥協了，選擇了這個讓自己一時輕鬆的方式，下次，孩子就會用更強的力道來挑戰你的原則——這就是爲什麼會有小孩在公共場所打滾的最初成因。

如果你從來都不讓自己的原則有例外，小孩是很聰明的動物啊，如果他知道一點希望也沒有的話，他連去滾兩下的力氣都不會花。就是因爲父母有時候可以，有時候不可以，孩子在無所適從的情況下，就會試探看看了。其實這樣的孩子心裡是極度沒有安全感的，你覺得在地上打滾最後玩具到手的孩子，在他的內心深處，會有眞的滿足和快樂嗎？

當個堅守原則的父母，眞的不輕鬆。但是如果我們可以熬過教養的最初幾個年頭，有一天你就會突然發現：當個有原則的父母，和在有原則父母教養下長大的孩子，眞是幸福啊！

所有堅持的辛苦，父母都不會白費，它會連本帶利，一次還給你。

父母的情緒陰晴不定，是做孩子的夢魘。
有凡事「願意好好跟孩子說」的父母，才有情緒穩定的孩子。

讓孩子不得不佩服

當個媽媽，我從來不需要孩子的佩服。養育他們健康長大成人，最後能獨立自主地快樂生活著，就是我所能想到的最遠的地方了。

十三年前，父母對小兒過敏性疾病的認識，還不像現在這麼普及。後來，每回有演講的機會，我都會好奇地對聽眾做市調，「小孩有過敏現象的請舉手？」大約有四成的父

母「中獎」。照顧過敏的孩子，絕對是媽媽育兒生涯裡很大的挑戰之一。我就是中獎者之一，而且中獎率是百分之一百。姊姊和弟弟，中重度異位性皮膚炎的情況，大約在一歲左右，就明顯地出現了。

弟弟的情況尤其嚴重，當他大到開始會動手抓癢的時候，全身關節附近的皮膚，可以用「體無完膚」來形容。看到心愛的孩子身上這樣破破洞洞的，以我照顧孩子無微不至的天生個性，哪裡可以忍受呢？所以我卯足了全力地照顧他們——

醫院可以驗血查過敏原，而且健保有給付，兩歲的弟弟就去了。我還記得，在檢驗室裡，在孩子的爹和兩位護士的聯手下，強押弟弟打針抽血的情景；而躲得遠遠的媽媽，即使聽不到孩子的哭聲，自己仍在玻璃窗外看得聲淚俱下。「喂，你又沒被打針，哭個什麼勁呢。」

但是，健保抽血檢驗的項目，大約只能檢查出十五種最常見的過敏原。所以即使我事後照著檢驗結果來照顧孩子，皮膚過敏現象還是不見改善，甚至有越來越嚴重的趨勢。後來，聽說民間的健檢中心有自費的驗血，主要是以檢查食物過敏爲主，一百種食物，包括五穀、肉類、蔬菜、水果，幾乎人們平常會吃到的食物，統統包含在內。除了所費不貲，另外還因爲怕藥物會影響檢驗結果，弟弟平常吃的抗組織胺藥丸和外用的類固醇軟膏，全都得先停用一個月，才能去抽血檢驗。

這一個月，可以想像媽媽過得有多辛苦，就已經病得不輕了，卻還要停藥，那不是雪上加霜嗎？爲了孩子長遠的未來，媽媽寧願累死自己，也要忍著。好不容易，我和弟弟捱過了這一個月，可以去驗血了。但是難題又來了——

上次打針抽血的夢魘還在，這次，「單兵要如何處置呢？」

於是，我當然要事先跟弟弟做行前教育，告訴他爲什麼要去抽血。其實這時，我也沒對弟弟說太多了，因爲，第一，他的過敏現象太嚴重，父母至親都看在眼裡，即使弟弟年紀還小，他也一定希望整天皮膚發癢的情況可以改善；第二，你怕不怕打針呢？我記得懷孕產檢時，幾乎每個月媽媽都要挨上一針，每次我都怕極了。怕打針是多數人的天性，所以事前說再多道理，也沒有用，所以我就選擇將力氣省了。

從來不以禮物賄賂孩子的我，事先買好了弟弟當時最喜歡的玩具坦克車，「打好針，我們就回家拿禮物。」

它是在敦化南路的一棟大樓裡，健檢中心寬敞而明亮，醫護人員親切又美麗。我和弟弟最後被安置在一個房間裡，當時的弟弟正好三足歲，不是媽媽記性好，而是沒滿三足歲，醫院不建議做此項檢驗的；太小的年紀身體還不夠成熟，驗血報告無法太準確，可以說是做了也是白做。

當時我心裡很清楚，三歲的孩子如果使盡全身的蠻力，三個護士也不見得能壓得

住。況且這一次，我不準備這樣對待我的好孩子，我認爲一定有什麼其他的辦法。

所以我開始跟孩子說道理了，我說了些什麼呢？那不是重點，重點是不論我怎麼說，弟弟就是不肯點頭讓護士抽血。

然而，那裡的護士也很「先進」，從頭到尾都沒有準備要使用暴力去強迫孩子的意思。於是媽媽先說說道理，過一會兒，護士進來房間也幫忙「勸說」幾句，不成，再出去；然後我又繼續將道理搬出來再說一次，弟弟還是不點頭；然後護士又進來，這次帶了一枝可愛造型的原子筆當禮物（弟弟到現在還記得那枝筆呢！爲什麼小孩會記得？因爲那是一種雪中送炭的關懷之情）。結果呢？沒用啊！還是不成功，又失敗出場……

這之間不知過了多久，等護士最後一次出現時，她竟然對我說：「這位媽媽，你們下次再來好了。」可能，她們以經驗來推算，今天要能成功達陣、完成工作的機率，微乎其微。

什麼？下次再來。拜託啊！我們好不容易忍了一個月沒服藥呢！今天不抽血，請問，下次是什麼時候呢？除非我打算完全放棄這件事，不然，我現在回家，代表的是什麼意思呢？不就是放棄了嗎？

我不肯。

你知道媽媽在那個小房間最後待了多久嗎？整整四十分鐘，只爲了打一針。

然後，我繼續跟弟弟說道理，至於怎麼說呢？我一向不威脅恐嚇孩子，「你今天不驗血，到時你癢死了，媽媽也不理你。讓你皮膚抓爛沒人管……」這種話不是典型的廢話嗎？一點用處也沒有的廢話，父母倒是偏偏很愛用。

後來我發現，事情到了緊要關頭，到了孩子眞的害怕的時候，賄賂的禮物根本一點用也沒有。在不能威脅，利誘這招也行不通的情況下，媽媽能說的道理實在有限啊。

但是，我有一樣東西是無限的——耐心。

我從頭到尾就是一副打死不退的模樣。同樣的道理，翻過來再翻過去地……一遍說過一遍……

只要孩子「想」聽懂，就什麼都聽得懂

「教養孩子」跟「寫作、寫文章」看似是完全不相干的兩件事，但我卻發現了它們有一個相似點：文章不寫到最後，我不會知道結尾的最後一句話是什麼；而我爲了教養孩子所做的每一件事，不到最後關頭，我也不會知道結果到底是什麼——弟弟最後悠悠地

點頭了。

孩子一點頭，媽媽馬上乘勝追擊：「弟弟，媽媽不會跟你說打針不痛，但是那有多痛呢？」於是，我在他的手臂上用力地捏了一下，「就是這麼痛。」說實話，打針的痛，是痛楚裡的最低級，倒是一根尖尖的針刺進肉裡面的圖像，比較嚇人。然後，更重要的是，媽媽下面要說的話：

「弟弟，當針打下去的時候，你可以大聲哭，你要哭得多大聲都沒有關係，但是——你的手臂，千萬不要動。因爲亂動的話，要是針斷了怎麼辦？」

兩個護士進來了，弟弟坐到了媽媽的大腿上，他當然很害怕，他當然是鼓足了從小到大所累積的勇氣，才讓護士將針插進他還留有嬰兒肥的手臂裡。他有沒有哭呢？

唉呀，你以爲這是在演連續劇嗎？哪有打針不哭的小孩子呢。哭得驚天動地。但是啊——他的手臂就像釘在木板上似的，一動也沒動。

誰說小孩聽不懂道理的？小孩的心比什麼都清澈。只要他「想」聽懂你說的話，他就什麼都聽得懂。

當上帝都開始佩服你的耐心時，孩子也不得不佩服。

後記：

「你有沒有很佩服媽媽的耐性？」

寫作的當下，媽媽隨口問身邊的弟弟。

「什麼耐性？」弟弟回敬了媽媽這個盡在不言中的答案。

孩子，謝謝你的指教。

親子間的溝通模式，是需要時間建立的；好的、壞的都一樣。
親子間的溝通模式一旦建立，不容易在短時間改變；好的、壞的都一樣。

沒被打過的小孩

「姊姊和弟弟，從小到大，沒被父母打過，一根汗毛也沒被碰過；」

「所以他們，從來不故意調皮搗蛋不聽話。」

咦？這兩句話的前後邏輯，好像有問題？是不是該這樣說才對：

「因爲他們，從來不故意調皮搗蛋不聽話。」

「所以姊姊和弟弟，從小到大，沒被父母打過，一根汗毛也沒被碰過。」

到底——孩子是因為很乖，沒給父母打人的機會呢？還是因為孩子沒被父母打過，所以變得越來越乖？在我的育兒邏輯裡，是後者。

我知道你不相信我的說法。因為傳統裡的觀念就是：不打不成器，棒下出孝子，打你是教你記住犯過的錯不要再犯了。但這些我統統不相信。從我有了自己孩子的那一天起，我從來不相信這麼可愛的孩子，需要被這樣對待。

那我相信的是什麼呢？不是專家的理論，實際上我也沒空去研究。我只相信人性。當我願意拿出耐心，好好地跟一個人溝通時，而且那個人還是全世界最愛我、最需要我的人，我不信我的耐心不能教會他做人該有的分寸。

以最嚴格的標準來審視：姊姊從小到大，被打過兩次；弟弟，一次也沒有。而且不要說打了，連被父母罵的機會，十年來都是屈指可數。

我說他們沒被打過，並不表示他們沒犯過錯；也不表示犯錯後，沒被處罰。我的意思是說，當他們真的做錯了事的時候，父母臉上凝重的表情，對他們來說，就是一種處罰了，而且是比罵他還沈重的處罰。

姊姊第一次被打，我曾在《還好，我們生了兩個孩子》這本書裡提過，對五歲的她

重重地打一下手心，那是爸爸一輩子不願再提起的自責（不過現在已經成了我們家回憶裡的笑談）。第二次呢？我猜姊姊不記得了，那是在她哭得止不住的時候，我朝她的屁股重重地拍下去，我還隱約有些印象：也是小小年紀的她，很驚訝地發現媽媽竟然打她的屁股。

往後多年，我對姊弟倆，最重的處罰就是：回房間。

在他們小的時候，眞的很少很少調皮搗蛋做錯事惹媽媽生氣。所以現在要我回想舉例，還眞的是一件也想不起來。通常最常發生的，就是手足之爭。你知道嘛，手足之爭通常都脫不了雞毛蒜皮綠豆大的事，但是孩子就是有本事用這麼芝麻小的事，惹得媽媽抓狂想扁人。當媽媽的裁決出現誰對誰錯時，如果錯的人還當場「死鴨子嘴硬」不肯道歉認錯的話，我就會說：

「回房間，你想清楚了，再出來跟我說。」

但即使是這麼不著痕跡的處罰，姊姊十三年來，大概也只進過五次房間吧！弟弟呢？更是破世界紀錄地，只有一次。我清楚得記得：還是在那個小小的租來的房子裡，印象中年紀很小的他，三歲左右吧，從房間裡走了出來，他說的第一句話讓媽媽永遠也忘不了：

「媽媽，不要再叫我進房間了，」他說話的語氣，好像剛從被關了十年的監獄裡出

來，「我的感覺眞的很不好。」

最後一句他到底是怎麼說的，我無法記得很完整。但是我卻清楚記得，孩子當時的那種態度，令我感到震驚：我只是要你進房間耶，裡面既不黑也不暗，房門既沒上鎖還可以隨時出來，怎麼？這樣的處罰，卻產生了天崩地裂的效果。

媽媽，試著用最大的耐心來尊重孩子；孩子，就會生出最大的自尊心來規範自己。

父母越從正面的態度和角度來鼓勵孩子，孩子自然而然就會減少生活上的負面行爲——這是我從孩子身上學到的事。而且我覺得，每個孩子都是這樣的，例外的應該不多，因爲這是人性。希望得到父母的歡心是每個小孩的天性，好的行爲可以博得他最愛的人的一笑，誰會不想做到呢？

只可惜現在的爸媽都太忙了，忙得沒了耐心。如果父母沒有時間和耐心面對孩子，那就只能在遇上孩子不乖時，再來下猛藥了。猛藥都只能收一時之效。有人長期吃猛藥而把病治好的嗎？

罵人打人，是教養中的下下策。一個從小被合理對待的小孩，將來才會用合理的態度去對待別人。豈不見，我們生活之中有這麼多的大人，總是意氣用事、賭氣行事、得過且過，甚至用著玉石俱焚的態度，與最親密的人相處。這樣的人生態度，是會遺傳的。不是只有基因會遺傳，人生態度，也會像基因般傳給下一代的。

當有一天你看見不受教的孩子時，不要懷疑，他們不是生下來就是這個樣子的。

後記：

「那些看你寫的書的爸爸媽媽，有沒有對你說什麼？」弟弟問媽媽。

「說什麼？」我完全無從想像孩子想說的話。

結果，已經八百年不肯這樣對媽媽說話的弟弟，很正經地說：「希望有一天，我可以像你一樣偉大。」

我完全被他的話嚇著了。但是我接下來的疑問是：

「你是說——我寫書很偉大，還是照顧你很偉大？」

「寫書給人家看。」弟弟說。當下，這個答案讓我有一絲絲的失望。

「我覺得你好棒，可以寫這麼好的書。我也想有一天可以像你一樣寫出這麼好的書。」弟弟說完他想說的話。

孩子到了一定的年齡，對媽媽就會變成「愛你在心口難開」了。即使他明明很愛你，但是卻抵死不承認。所以這下我納悶了，翻翻剛唸給他聽的文章，我猜想著……

他一定是不能想像，一個被父母毒打的孩子，心裡有多麼的難受。想想自己的被尊重，當然是幸福的。想想自己的媽媽，還能將這麼好的觀念寫給其他的爸爸媽媽看——他可能覺得，能幫助別人，是一件很偉大的事情吧。

懲罰，是管教中的最後手段。如果你不用，就已經教出好孩子，我要給你拍拍手；如果父母該用的時候，也毫不猶豫地拿它出來使用，我也需要給你拍拍手。

教孩子的時候，不要笑

好友對兩個學齡前的孩子束手無策，每天都要上演姊姊欺負妹妹，妹妹大哭小叫的戲碼；久而久之，小的也學會了以牙還牙的招術……。朋友問我，該怎麼辦？

我說事情很簡單：妹妹動手搶姊姊的東西，違反了父母的家規，所以妹妹得馬上送去房間隔離。

小孩子是最怕被隔離的動物。如果今天是我做錯了事，先生要我進房間不能出來，

「哈哈哈，讓我隔離於你的孩子，眞是天大的恩賜啊！」可是孩子是很怕被隔離的，因爲隔離意味的是一種處罰，即使你嘴上不說這兩個字，但骨子裡就是，所以沒有孩子喜歡被處罰的。

處罰不一定得祭出「打人」的手段。我剝奪你的自由，讓你的遊戲和生活必須中斷，就是小小孩最不喜歡的事了。所以隔離的目的，只是要讓小孩知道：做錯了事，要被處罰。這裡面完全沒有恐嚇孩子的意思。不過，這個簡單好用的「隔離法」有個但書——

如果是離不開媽媽的年紀的孩子，我會陪著孩子一起進入房間。陪伴他的目的，不是要安慰他，而是因爲孩子年紀太小。我們大約以四、五歲作區隔，這個年紀之前的孩子，可能會很害怕一個人獨處於一個密閉空間。因爲我沒有要嚇孩子的意思，我只是要剝奪他的自由，讓他感覺不方便——

孩子只要一犯錯，生活或遊戲就會被打斷，例如馬上被帶離親朋好友聚會的客廳，讓孩子覺得生活行動受了影響，讓他們爲了避免這種不舒服的感覺再發生在自己身上，進而讓自己發展出自制力，知道如何控制自己的行爲，知道改進不再犯。因爲如果孩子再犯，即使是

一個戲弄妹妹的小動作，他也會馬上嚐到被隔離於人群的不方便感覺，那是小孩最不願意見到的事了。

隔離法的行使，還牽涉到父母的耐心。「你有辦法在孩子一犯再犯的時候，每次都花時間去隔離孩子嗎？」因爲很可能你要放下手邊的工作，全程陪著他。

其實父母不用太擔心，我跟你保證：只要你願意開始這麼做，而且絕對不因任何原因而出現「這次算了」的念頭，不需要多久時間，孩子的「不聽話」行爲一定可以改正過來。

小孩子，是最容易「改邪歸正」的動物。只要父母願意堅持原則，孩子不會笨到去浪費時間挑戰父母的，因爲他知道你不會給他任何一次「僥倖」的機會。

至於需要隔離多久呢？因爲我的經驗實在很有限，所以只能說，要看孩子當時的狀況而定。對小小孩來說，兩分鐘可能已經很久了，不過若小孩個性倔強，可能二十分鐘也不夠。另外，如果錯誤很小，而且他馬上表現出「下次不再犯」的態度，那麼隔離甚至可以馬上停止——父母要讓孩子有機會知道：父母是很願意信任孩子的。

如果是一犯再犯呢？父母必須事先清楚地告訴「累犯」的孩子：以後若再犯，隔離的時間會每次增加五分鐘（十分鐘）。

到底要隔離多久？有時候不是孩子的問題，而是父母要先問問自己：我有多少的耐

心跟孩子耗下去。如果你的耐心不是問題，那當然是要久到讓孩子「有感覺」啊。

「要是孩子在隔離的房間裡玩得高興得不得了呢？」其實這樣的情況，應該不會存在。請想想：被隔離前，你的臉色一定是鐵青的，說話的語氣一定是嚴肅的，在這種情況下被帶進房間的孩子，誰會不知道自己做錯了事啊？如果你發現孩子被隔離時一點都不在乎，那只代表了一件事：父母的管教態度出了問題。請注意，我沒有說，父母的教養觀念出了問題喲，而是態度。

別被孩子轉移了事情的焦點

朋友的兒子可愛的不得了，小小年紀的他，會模仿大人表演挑眉毛的動作，眞是可愛到最高級。不過，他每次犯了錯，父母在跟他說道理的時候，你就會看到他，故意做出挑眉毛的動作。你覺得他是無意的嗎？剛開始，他可能眞的是要掩飾內心的不安，但是當他發現，他每次在這個當口做出了這個動作後，父母就會忍不住笑出來，或是因此就不罰他了，哦哦……管教做到一半被破功，他用這招轉移了事情的焦點——

跟孩子說道理的時候，父母是不可以笑的啊！

如果你眞的還笑得出來，那代表你心裡可能也覺得事情不那麼嚴重、不需要這麼嚴

肅。但我要說的是：糾正孩子的行爲時，不分大小，每一件事都是嚴肅的。十三年來，我從沒在教導孩子的時候，跟孩子嘻皮笑臉。如果孩子膽敢在做錯事的時候還嘻皮笑臉，在我的教養原則裡：這種玩世不恭的態度，甚至比做錯那件事，還要嚴重百倍。

當孩子在做人處世上沒有正確的態度時，他的人生等於就要毀了。

當孩子做錯事的時候，甚至不需要透過語言，光從孩子臉上的表情，父母就可以知道，他有沒有意願要去改正。滿口「對不起」卻依然我行我素的孩子，你不能一眼看出來嗎？所以，當孩子做錯事時，只要他有正確面對的態度，沒有什麼事是不可以原諒孩子的。

姊姊弟弟有沒有犯過大錯呢？當然有。但是我不能告訴你是什麼樣的錯，因爲這涉及孩子的隱私權。我要說的重點是：我有因爲這些錯事而給孩子任何的處罰嗎？沒有，什麼也沒有。也就是「白白」地原諒了他們，是嗎？沒錯。

因爲從他們的態度上，媽媽就知道：他們不會再犯了。當父母知道孩子知錯而且不願意再犯了，我們還需要給他們處罰嗎？

處罰，是給一犯再犯的人用的。

我也陪姊姊進過房間，印象中，進房間時好像她都是在哭哭啼啼，然後我就會面無

表情地在旁邊等待（心裡當然是氣得半死）：等孩子慢慢哭完，或是慢慢想清楚。姊姊小時候，習慣上，通常哭到最後，就會想要媽媽抱抱了。然後我一邊抱她，我就一邊開始說道理了。所以在孩子願意開始聽媽媽說道理之前，我的表情都不可能輕鬆得起來。

我在處罰孩子上，沒有太多的經驗可以分享，這裡要給你的最大的建議就是：

父母該嚴肅的時候，千萬不要裝和藹。教小孩的時候，千萬不要笑。

父母嚴肅的態度，不會傷害你孩子幼小的心靈。小孩子的堅強意志，是超乎父母想像的。

後記：

寫這篇主題的靈感，是弟弟提供給媽媽的。等我寫完後，我隨口問他：

「弟弟，教小孩的時候，除了不可以笑之外，還不可以做什麼？」

「不可以說話太大聲。」還有呢？

「不可以使用暴力。」

小孩子說的話，總是深具參考價值。

兩歲前的小孩，父母不要隨意動口開罵。十歲前的小孩，父母也不要隨意動口開罵。三十歲的小孩，他依舊還是你的小孩，所以呢？

放心，我會好好管教你

這是姊姊國小二年級時發生的真實事件。它沒有被杜撰，也沒有被添油加醋。而且可能因爲是四年前的事了，所以印象不是那麼鮮明。不過，它眞的就發生在你我身邊的孩子身上……

今天早上，我陪已經國一的姊姊在等校車，雖然只有五分鐘的空檔，媽媽卻聊起了

她舅舅小時候被欺負的事；孩子聽得津津有味之餘，似乎也不甘示弱地，從她自己的記憶庫中翻箱倒櫃，找出了一件事，與媽媽的古老故事相抗衡。

「媽媽，有一天，還是讀台灣小學的時候，當時我們在上分組課，妳知道那種座位嗎？四個人一起……」這是學西方教育的作法，四個桌子兩兩相對，所以有一半的學生，是面對著同學而不是老師。老師，在這樣的課堂裡，只擔任輔導的角色，孩子的分組合作才是正題。

「然後，陳ＸＸ和對角線位置上的李ＸＸ突然吵起架來……，陳ＸＸ就拿起他的便當盒丟李ＸＸ……」老實說，故事說到這裡以前，媽媽都只用半個大腦在聽孩子說話。但一聽到丟便當，突然，媽媽自己好像被那個便當擊中了——

「丟便當？」這在媽媽的認知裡，是一個多麼不可思議的動作啊！

女兒知道媽媽不相信，所以逕自地往下說下去：「然後李ＸＸ就將自己的整個鉛筆盒，丟回去。」媽媽的眼睛放得好大，回看著姊姊的眼睛，「然後陳ＸＸ，就把丟過來的鉛筆盒裡的鉛筆啊、尺啊，當作武器再丟回去……」

「丟回去？老師在嗎？」雖然我嘴裡這樣問，不過，這時，在我腦海裡想像的畫面中，是沒有老師的。

「在——啊，老師就在他們的前面講課，然後老師的眼睛也睜得好大，看著一個鐵的

便當盒哐噹哐噹地滾到她的腳邊……」

你能想像這個畫面嗎？老師在上課，小學二年級，這麼小的孩子，不還是很敬畏師長的年紀嗎？卻完全無視老師的存在，當場吵起架來。吵架也罷，竟然可以丟出會造成大聲響的便當盒，然後再繼續互丟東西……。這還是一個有口碑、要排隊好幾年才進得去的學校哪，裡面都不是家裡三不管的孩子耶。

「最後呢？」我實在很好奇這樣的故事要怎麼結尾。

「然後老師叫他們不要再丟了，他們還是不聽，有一隻鉛筆還差點丟到我，」姊姊記憶中的事彷彿就發生在昨天，「最後老師一把抓住其中一個，他們才停手。」

不服管教的孩子，絕不是天生下來就是這副德行的，也不是到學校後才突然變了樣的。

「孩子都很好教，最難溝通的是父母。」我相信這是現在很多小學老師的心聲。有多少父母，在老師好心提醒家長要注意孩子的品行時，卻反過頭來送給老師一句話：「我

的孩子在家裡都很乖啊！怎麼到了學校就變成這個樣子。」如果我的職業是老師，一定常常需要「欲哭無淚」的心情。

天啊，管教孩子，讓孩子擁有一個守紀律、尊重他人的好品格，到底是誰的責任哪！

不是只要我喜歡，就什麼都可以

現在的父母被「愛的教育」沖昏了頭，竟然昏到忘了「管教孩子」這件事。我知道，我們這一代的父母對「管教、權威」這類的字眼很反感，因爲我們就是被管教和權威嚇大的。

但是，當管教是要讓孩子往正確的路上走，當權威是被正確地使用時，那管教和權威，就和讓孩子吃飽穿暖，同等重要。

管，就是管理；教，就是教導，兩個字加起來完全沒有負面的意思。管教孩子，是每一個盡責的父母都必須扛下的責任。但不知道爲什麼，現代的父母卻將它從育兒生涯中剔除了，好像管教子女，都是壞爸媽才會做的事。

父母的權威，在孩子成年之前，也是根本少不了的必要條件。如果父母沒有了權

威，完全跟孩子平起平坐，請問：

你可以讓孩子三餐吃麥當勞嗎？

你可以讓孩子自行決定要不要吃青菜嗎？

家裡的餅乾糖果，孩子可以隨意取用嗎？

跟朋友去看電影，可以愛幾點回家就幾點回家嗎？

以下，請自行類推一千項。

當父母對孩子說「不」時，就是父母要行使權威的時候了。這樣的權威，父母可以放棄嗎？當然不行。父母的權威，一定要行使，而且一定要被正確地使用——好好地跟孩子說明：不是每件事都能讓他如意的原因；每一件孩子不可以做的事情背後，都有不可以做的正當理由存在。

堅定地跟孩子說「不」，然後接著三分鐘的解釋。如果你不能拿捏管教裡的收與放，權威裡的輕與重，「丟便當」的孩子就可能會出現。這樣的孩子，不是特例，現在的社會裡，隨處可見。養出這種品行的小孩，如果不是父母的責任，難不成是上帝的嗎？

這一代的父母崇尚自由，很好。自由的感覺當然美好，沒有人不愛。但是，新一代的父母，在沒有弄清楚自由的眞諦前，卻讓「孩子應該遵守父母、師長正確的照顧和教

導」的這個原則，被「只要我喜歡，有什麼不可以」這樣的觀念，給取代了。

「只要我喜歡，有什麼不可以」，聽起來很理直氣壯，但如果連父母都用它來替孩子找藉口，那眞是教養史上最被扭曲的觀念。

人生的道路上，能這樣隨心所欲的情況，是被嚴格規範的。「不可以」的情況，不論你是三歲的小孩還是三十歲的大人，絕對比「可以」還要多上好多倍……爸爸結婚後還可以交女朋友嗎？你上班可以遲到嗎？媽媽生了小孩可以不餵奶嗎？

其實，可以耶——很多大人都是這樣活著。但是，他們的人生也都因此一團糟。小孩也會跟著無辜受罪。

當父母不管教小孩時，小孩的童年，也會被一團糟圍繞。不守紀律的孩子，通常也與不快樂的孩子，劃上等號。因爲不被團體認同的孩子，怎麼快樂得起來呢？如果你愛他，你就必須好好管教他。

「寶貝，放心，我會好好管教你。」這將是父母送給孩子的人生禮物中，最珍貴的一項。

跟孩子說道理，不是要父母刻意委屈討好。
而是，我們必須拿出一種領導孩子的堅定態度，
帶領著他們慢慢養成「通情達理、體貼他人」的人格特質。

你怕你的孩子嗎？

我怎麼可能會怕我的孩子呢？再怎麼說我都是大人，大人怎麼會怕小孩呢？
可是我卻要告訴你，你怕死你的小孩了。即使你是堂堂七尺之軀的爸爸，即使你是在工作上呼風喚雨的媽媽，當你遇上你的孩子時，你照樣有機會怕他們怕得要死。我會用故事讓你明瞭——父母的罩門在哪裡？

我陪好友去幫他的老大買八歲的生日禮物，他選了好大一盒的樂高積木，然後順手又拿了一盒小的。我問：

「需要兩個嗎？」

「不，給老二的，他可能會吵。」

呵呵，你開始怕你的孩子了吧——你怕老二會吵。當老二搶老大的玩具時，你會不自覺地要「大的讓小的」，父母這麼做的目的，不是要老大知道友愛的重要，而是父母「怕」小的吵，不想面對事實而已。

當父母對孩子出現了「害怕」的心態時，就是你的教養注定要失敗的前兆。

當姊姊弟弟小時候，如果今天是其中一個過生日，除了壽星的生日禮物外，我可能也會幫另一個買個小小的禮物，但我心裡很清楚：我不是怕孩子吵，我是因爲愛他；看到一屋子的親人幫其中一個辦生日，我不希望完全冷落另一個小小孩，也希望能給他一點點的驚喜。

這個小禮物不是可以隨便出手的，也不能想送就送。有一件更重要的事，父母必須知道：你必須要很了解你的孩子。你知道今天你不買這個小禮物，孩子也不會吵，即使弟弟看著姊姊拿著滿手的禮物，他也了解：今天不是我的生日，沒有禮物是應該的。他

一點也不會因爲沒有禮物而吵鬧。當父母已經確定孩子擁有通情達裡的個性後，這時候的小禮物出手，表現的就是對他的愛和關心。

當父母只是因爲怕孩子吵、怕自己無法應付，或是根本準備「逃避」可能遇上的吵鬧，而去買這個禮物時，哦哦，你就是個名副其實想逃避教養問題的父母了。

時間不會幫你解決教養問題

逃避——父母不可能用逃避的態度，教出一個好孩子的。如果教養裡最關鍵的人——父母，都不打算面對問題了，那孩子的問題怎麼會自行解決呢？對，很多父母就是以爲時間可以解決問題——時間眞的可以解決或沖淡許多事情，但不包括教養孩子這件事。

現代父母「怕孩子」的這種情緒，還可能衍生出更多的情況：

怕孩子不愛我。

怕孩子不聽我的話。

怕惹孩子生氣。

怕讓孩子失望……。

怕怕怕……然後，父母可能就不自覺地開始使用「物質給予」或「算了算了」，去沖淡和化解自己這種害怕的心態。

姊姊弟弟小時候，如果誰竟敢在生日會上說出「他都有好多禮物，我都沒有」類似這樣的酸葡萄話語，那簡直就是犯了我教養規矩裡的大忌。這個人不但不可能拿到任何東西，甚至連原本要給他的額外驚喜，都會變成媽媽心裡的一句「門兒都沒有」。

如果我的孩子眞的發生了這樣的事，當場我絕對不會說任何話讓孩子難堪，但是適當的時機，喔喔——媽媽的大道理就來了。孩子第一次可能不是故意的，但是一個被教好的孩子，即使只有三歲，這樣的錯誤都不會再犯第二次。

當父母已經發現自己孩子的行爲到了需要導正的時候，怎麼還可以用「鴕鳥心態」去給他一個禮物呢？那不是等於送他吃毒品讓他上癮嗎？

當孩子漸漸長大後，讓你害怕的機會也會越來越多——

「媽媽，我想買 iPhone，好多同學都有。」

「媽媽，好多同學都穿迷你裙，我也想買一件。」

你怕不怕孩子怨你小氣，怨你不愛他呢？還是你覺得，花錢買東西很容易，要買就買吧！

你可能不知道一件很可悲的事情（姊姊親口告訴我的）：很多大孩子在對父母提出各式各樣不同要求的時候，他們心裡並不確定父母會說 YES，也不一定眞的想要父母說 YES，但是，父母就是說了 YES——孩子好失望啊！孩子討厭父母只會花錢打發他們，卻一點時間也不肯花在他們身上。

你怕你的孩子嗎？

當發現自己出現這樣的心態時，千萬要有所警覺。

我從來不怕孩子。我寧願孩子當時恨我恨得牙癢癢的，但是我教養孩子的原則，簡直就像銅牆鐵壁，牢不可破。我寧願好人都給別人當，壞人都由我來做，我也不允許自己被「怕孩子」這種情緒給打敗。

其實，我天生就是不怕孩子的媽媽，因爲我太愛他們了，所以我可以堅強到——什麼都不怕。

後記：

「媽媽，我還記得，我好小的時候，我們還住在那個最舊的家，有一次姊姊過生日，我也拿到一個小汽車，然後爸爸就抱著我，看姊姊拆禮物。

「我還記得，」媽媽的文章，勾起了弟弟幾乎快要忘掉的回憶。他很高興自己想起的往事，重複說著，「我還記得，我好高興地抱著我的禮物，我們都坐在地板上，爸爸還抱著我……」

媽媽很感嘆孩子竟然可以記得這麼久遠前的小事情。那是七年前了，弟弟才四歲呢。

不受教的孩子，是很難快樂得起來的。
不受教的孩子，也很容易將父母逼到困頓的角落，不知所措。

先學做人吧！

「可是，汪老師，跟孩子說道理，眞的有用嗎？我姊姊的五歲小女兒……」

有一次我正在講課，講著講著，講到這個「說道理」的教養概念，全班聽得津津有味時，有個學員媽媽說話了——她自己的孩子還在襁褓中，所以她說的是她姊姊孩子的事：

「我姊姊也是好好地跟孩子說道理啊，可是孩子根本不聽，每次都是用哭的，哭到奶

奶好心疼，然後誰的話也不肯聽……」言下之意似乎質疑了兩件事，不是我說的教養理念有問題，就是小孩本身有問題。

課堂上出現的疑問，有時候是很難回答的。不是因爲我沒有答案，而是當資訊不夠充分的時候，根本很難從有限的資料中找出眞正的原因。所以遇上這樣的問題時，我的答案千篇一律都是：「下課後，我請你喝咖啡。」

不過，事實上，沒有人喝過我的咖啡。但是這堂課下課後，這位學生不放棄地繼續追問，所以老師當然也得不放棄地繼續幫她找答案。

「那，每次小孩這樣哭，哭這麼久，媽媽怎麼辦？」我擔心的是做媽媽的。

這位學員又吐出了更多資訊：有一次，小女生下午要去上鋼琴課，因爲孩子比較沒有時間概念，負責送她去上課的奶奶就對小孫女說：「等等，還要一個小時。」然後就上樓去洗衣服了。等小女生發現奶奶沒有送她去上課，卻自己在做自己的事時，當場就對奶奶發起了脾氣，孫女抱怨奶奶的聲音大到媽媽都跑出來看到底發生了什麼事。

「然後呢？」我等不及要聽下去。

「然後，她媽媽，就跟老師你說的一樣啊！」這位學員並沒有要故意挑戰我說的話，她眞的是一副很困頓的表情，「好聲好氣地跟孩子說道理，跟她說不可以跟奶奶這樣說話……但是她就是哭啊……所以她媽媽只能安慰她，跟她解釋因爲上課時間根本還沒

到，不是奶奶不送她去……」

「然後呢？」我的心情越來越著急。

「然後？還有什麼然後呢？」這位學員一副故事到此就該結束的樣子。

「有啊，結果呢？」我追問。

「結果當然就是，媽媽送小女生去上鋼琴課了啊。因爲小孩急著要去上課。」

「賓——果！」我的心裡出現了叮叮噹噹的聲響。問題就出在這裡！

這裡，讓我先插播另一個故事。二〇〇六年的香港，在香港中產階級雲集的中環半山上，我和小孩在社區附設的游泳池裡玩水，已經晚上七點了吧，天色確定是暗的。我發現有一個大約幼稚園中班年紀的小女生在泳池裡玩水，她不到三歲的妹妹正跟著教練學游泳，一對一的教學，我猜想，下一個就該是姊姊接著上課了。

你知道一小時的一對一游泳課學費怎麼算嗎？如果學生只有一人，學費是一小時四百元港幣（折合台幣一千七百元）；如果希望姊妹兩人一起學，一人半小時的話，費用就變成一小時五百元。（爲什麼我知道得這麼清楚？因爲姊姊弟弟上過一次課，當結束要繳費的時候，我被這麼高的價格嚇到心臟病快發作。是誰說香港是購物天堂的？給我站出來。）

後來，那個小姊姊在泳池裡玩起了丟球的遊戲。泳池邊上的爸爸看見了，知道女兒手中是一顆水裡不可以丟的硬球時，他先好聲好氣地跟女兒說道理，女兒不聽；又因爲孩子在水中不好說話，於是爸爸將女兒帶上岸來；不遠處的父女倆，看得出來，爸爸說了很多，但似乎女兒聽不進去，最後爸爸只好無可奈何地放女兒回去玩水了。小女生理當是最天眞無邪的年紀，不過當她走到泳池邊準備下水之際，小女生回頭了——

她用那種「你欠我五百萬沒還」的氣憤眼神，惡狠狠地瞪向她爸爸，不甘願的神情明明白白地寫著：「我玩水玩得正高興，你吵我做什麼呢？」

然後，爸爸呢？我等著看爸爸要如何讓故事結束——可惜，他什麼也沒做，一副莫可奈何的表情。

結果換成我氣壞了，我知道那不是我的小孩，但我氣的是這位爸爸……

讓孩子立刻承受「不受教」帶來的自然後果

「學什麼鋼琴？」我對那位媽媽學員說。

如果小女生的態度是一副不知悔改，或是裝無辜地繼續耍賴；如果我是她媽媽，「今天的鋼琴課不用去了，如果妳沒先學會怎麼好好做人，就永遠不用去學鋼琴了。」這就是

我的結論。

我寧願浪費已經繳的昂貴費用，也不願輕易去開啓孩子不良行爲的模式；然後將來有一天，讓孩子自己去面對這不良行爲給他帶來的人生責難。

我不會打你，也不會罵你，但如果道理已經說了，你還是不能了解的話，「讓孩子立刻承受『不受教』帶來的自然後果」，這就是最好的教育方式。

如果有一天，孩子帶著這樣不良的人生態度去上班工作——老闆也不會好好地跟他說道理，「炒你魷魚、要你走路」就是他成爲大人後必須承受的自然結果。不尊重別人，對別人說話不禮貌，然後還不知悔改，「從此不用去上鋼琴課了」就是小孩必須承受的後果。

「學什麼游泳？不准學了。」住這麼高級的住宅區、學這麼貴的游泳課、有這麼高職銜的爸爸……如果「做人都沒學好，學游泳有什麼用」？

我眞的不知道，有些父母到底是怎麼了？因爲平時太忙，沒時間陪孩子，所以一有機會就想快速彌補從前沒盡的父母責任嗎？不然，爲什麼這麼簡單的、最基本的做人道理，都可以視而不見呢？

你知道，學齡前是孩子人格養成的黃金期嗎？這個時候，父母不將人生的重心往孩子身上放，請問你準備什麼時候才要開始教養孩子呢？教養孩子，一定是越早開始越輕鬆，越早開始越容易，因爲孩子的人格還沒定型，從小教起，馬上看得見成效。

對於小小孩，父母可以在非常短的期間內，把他的錯誤行爲導正過來，只要父母肯花時間和耐心。因爲這時，父母對孩子的影響力最大，若肯付出時間和力氣，所獲得的報酬率也會最高。但請注意，這個報酬率是會逐年遞減的，所以教學做人要趁早，不要等到無力可回天的那一天……

要認眞看待「學做人」，直到你每每看到孩子的身影，心裡都會舒一口氣，並且可以翹著二郎腿輕鬆地想著——還好，當初我有從「學做人」開始教起。

不是說道理的時間，父母不要「碎碎唸」。充斥著「碎碎唸」的家庭，哪來「跟孩子好好說道理」的空間。

父母的權威，請小心使用

媽媽看了看電腦上的時鐘，八點五十分，心裡正想著姊姊的功課怎麼還沒寫完呢，姊姊就走進了客廳，「媽媽，我功課寫好了。」「那快點去洗澡刷牙。」九點半，是媽媽預期孩子要上床睡覺的時間。

接著我又繼續想著讀者寫給我的問題：幼稚園的孩子，在學校有偷東西的習慣，怎麼辦？媽媽正在傷腦筋該怎麼回信時，姊姊洗好了澡，但牙還沒刷，又來了。

「媽媽，珊蒂打電話給我，要我幫她做一個電腦功課。我再耽擱十分鐘，好不好？」

「爲什麼？她自己的電腦呢？」我還有一個問題忍著沒問：爲什麼拖到這麼晚才來問？

「她的電腦沒有ＸＸ軟體，沒辦法做？」女兒說話的態度很緊急，因爲好朋友正在電話線那頭。

媽媽的腦筋轉了兩下，然後說好。

姊姊好感激地一邊謝謝媽媽一邊走回房間，到了房門口還大喊出來：「珊蒂要我跟你說謝謝。」有被教好的孩子，處處可以看見對人的禮貌和尊重。

當然，她不會只花十分鐘，但是也不會超過二十分鐘，因爲孩子知道媽媽很重視他們的上床睡覺時間，不可以太晚。

第二天早上，已經過了預定的時間，校車還沒來。弟弟等得氣定神閒，一點都不著急；但是姊姊呢？媽媽終於知道什麼叫做「熱鍋上的螞蟻」了。

「姊姊，晚一點沒關係吧。」媽媽說。

「不行啊，我等一下到學校，還要幫珊蒂把電腦裡的東西印出來，她拿了就要去上課。」這個學校，從小六開始，就是以大學跑堂的方式在上課，學生不是固定在同一間教

室裡。

已經遲了十分鐘，校車還是沒來，等待的一行人，全都不著急的樣子，只有姊姊，眉頭都皺了起來。

「那你可不可以將電腦整個丟給珊蒂，要她自己去印，然後你用跑的去上你的課？」媽媽在幫孩子出主意。

「這樣我還是會遲到的，」已經又過去五分鐘了，她是個很自重的孩子，不能忍受被老師責怪，「而且我今天又忘了帶手機，等會兒也不能打電話通知珊蒂……」我看得出來，孩子眞的很困擾。平常很少主動出手幫孩子的我，今天卻開口說話了：

「等會兒我幫你打電話給學校，說校車晚了。」這樣第一堂的老師就不會責備女兒，「然後，你晚點進教室，先去幫珊蒂印東西。然後，我另外再打一通電話給珊蒂，說你會遲到，看她要不要等你……」

「好啊，你幫我打電話。」姊姊說。

你以爲孩子們都喜歡接受父母的幫忙嗎？沒有。很多孩子都不喜歡父母插手自己的事情。當孩子在學校遇上困境而對父母述說時，我主動提出的援手，大概只有十分之一的機率，孩子願意接受。大部分的答案都是：不用了，我自己想辦法。可見這次的情況眞的很困擾孩子。

校車終於來了，整整遲到了二十五分鐘。媽媽一回到家，馬上拿起電話撥給學校，但我心裡是有懷疑的：學生又不是要請假，只是因爲校車遲了，學校眞的會去通知第一堂課的老師嗎？但是，不管這麼多了，媽媽還是要做到答應孩子的事。從接電話的人的態度看來，好像眞的會有人去遞條子給老師呢。然後我馬上又撥了一通電話給珊蒂。

放下電話，我終於完成了所有計劃要做的事，可以吃早點了嗎？沒有，不知道爲什麼，我的思緒突然快速倒帶似的，回到了昨天晚上姊姊問「我可不可以幫同學十分鐘」的那一刻。

父母的自我覺醒，比什麼教養理論都重要

然後，突然有一種感覺，我的腦袋好像被人從後面敲了一棒，而且那個人還對著我大叫：小心使用你的父母權威啊！

如果你有個很受教的孩子，你會發現，你要行使父母權威的時候，是毫不費力的。媽媽說不可以的事，只要經過討論後沒有異議，姊姊和弟弟都很願意遵守。如果他們還是學齡前的孩子，那似乎不稀奇，例如：飯前不吃零食、青菜一定要吃完、吃完早點才可以去上學、週末才有電視看、家裡沒有電玩可玩……以下類推五百項，因爲小孩怕大

不

人，所以小孩聽大人的話，理所當然。

可是如今，姊姊和弟弟，都已經是大孩子了，經過時間的累積，媽媽的規定只會越來越多，例如：做功課時不聽音樂、每看書半小時要休息眼睛、每天有額外的中文功課、每天都要看半小時的中文課外書……（對不起，以下又要類推五百項）。從前的舊規矩他們不僅沒有忘掉，一直新增加的，他們也都願意配合，這就不是件容易的事了。

這些需要孩子遵守的規定，就是父母權威的行使。雖然它們都是經過親子雙方討論和溝通過的，但它仍需要父母行使權威才能維持下去。

「弟弟，放下你的英文書，因爲你今天的中文書還沒看。」

「姊姊，這次的學校舞會你不能去，因爲一學期只能選一次參加，上次聖誕節你已經用完了。」好習慣、好人品、好孩子的養成，沒有父母的權威，是行不通的。

但是此時，我卻突然驚覺到：要是昨天晚上，我輕易用一個「不」字，就回絕了姊姊想幫忙好朋友的請求，這樣眞是太殘忍了。

當媽媽在忙，或是有心事正在煩惱時，很可能對孩子的要求是沒有感情的、不多作考慮的；再加上當時明明已經到了上床時間。「不行，時間太晚了，請同學想別的辦法。」是父母很可能脫口而出的答案啊。

孩子一定會很失望——「我只是要十分鐘哪！」幫忙朋友，對這個年紀的孩子來說，可能比任何事情都重要。

父母不知拿捏輕重的權威，常常就是侵蝕親子關係的毒藥。我用幾近警告的方式告訴自己：父母的權威，要小心使用。千萬不能因爲你有個聽話的孩子，就隨意揮霍它；尤其是對已經進入青少年時期的孩子，如果父母不知道變通自己的教養態度，還一直將孩子當小嬰兒看待——等問題朝你衝撞而來時，我猜，父母通常很難招架得住。

後記：

姊姊走進第一堂課的教室裡，迎面而來的老師的第一句話是：「咦？你不是要比較晚來嗎？」

從這一通小小的電話顯示出了：教育是百年大計，不要羨慕別人家的教育制度，那是整個社會「人」的問題。只要父母的心態沒改變，其他的改變效果都不大。

無論是多棒、多盡責的父母，孩子還是可能做出一些讓父母覺得不可思議的壞事。不要對這些事太大驚小怪，堅持父母養育孩子該有的原則，繼續往下走就是了。

原諒和鼻青臉腫

昨天接到一位讀者媽媽的問題，看完後我陷入沈思，並對她陳述的事情感到憤怒。我不是不知道答案，而是不知道要從哪一個觀點切入，才可能幫助到這個家庭——讓其中的大人醒過來，這樣孩子自然就得救了。

我妹妹有一個中班年紀的小孩，爸媽都上班，所以小孩暑假也得去上幼稚園。最近

兩個月，這個小男孩偷拿同學的玩具回家，騙父母是同學送他的，還跑到老師辦公室，開老師抽屜拿糖吃；前天，又被老師發現，他去拿老師抽屜裡的玩具玩。前幾次事發後，都被我妹婿海扁得鼻青臉腫。我希望他們能了解小朋友偷竊行為背後的動機及原因，再好好地跟小孩溝通；不過小朋友一而再、再而三地犯錯。如果是老師你，會如何處理這樣的問題呢？

看到「鼻青臉腫」四個字，我的心裡有憤恨，也有憐惜。

對孩子最殘忍的人，爲什麼總是他最親愛的人呢？

年紀小小的孩子，將他打得鼻青臉腫，不覺得是件很殘忍的事嗎？即使他犯了滔天大錯，他是孩子啊！有必要用這種手段來對待孩子嗎？我們就沒有別的、進步一點的辦法了嗎？現在社會已經進步到，狗都不可以亂踢亂打了，怎麼還可以將可愛的、小小的孩子，打得鼻青臉腫呢？

我很氣，氣到開始想像：如果我是新加坡人，我一定要當個狗仔隊守在這種大人的後面，捉到你「亂丟垃圾亂吐痰」的小辮子，然後舉發你，讓你也被捉去「鞭打」看看，讓你也嚐嚐被打的滋味。

在我給這位讀者任何建議之前，我想先說另一個故事。

有一個小孩，這是他十二歲的時候，回想他小時候的事情，然後當成故事說給我聽的。我猜想，他一定很信任我，而我們的感情也一定很深厚。不然，小孩子是不好意思主動傾訴自己曾經做過的壞事的（大人也一樣啦），尤其是那些最品行不良的壞事。他說——

「我讀幼稚園中班的時候，你知道嗎？老師的抽屜裡有許多小星星，其實現在想起來，那眞是非常『沒什麼』的東西，甚至連貼紙都比不上，只是老師從色紙上壓出來的小星星花樣。但是對小孩子來說，那就好像是天上的星星一樣，珍貴得不得了。

「你知道嗎？我好喜歡那些小星星，但老師還沒有拿出來給我們，是她在做的時候被我看到了。有一天午睡時間，我們統統睡在教室的地板上，那一天我剛好——睡在老師放星星的抽屜旁邊……

「然後，我好呆哦……（說到此處，他咯咯咯地笑個不停），我那時怎麼會那麼笨啊，我自作聰明地將蓋在身上的小毯子升高、升高、再升高，企圖遮住整個抽屜和我自己，然後準備要拿紙星星……，我好呆哦，如果老師突然往我這邊看，一定會覺得很奇怪：爲什麼有一個小毯子突然升高、升高，好像有鬼啊……（說到這裡，他變成笑得樂不可支；聽故事的我，也跟著笑倒成一團。）

「然後，我偷到了一個紙星星，我又自作聰明地想先偷藏進書包裡，所以我就站起來走到老師身邊，說要去尿尿（我正想問他，你貼紙放哪呢？內褲裡面嗎？還沒問呢，他又猛笑了起來）……，我好呆哦，小孩子怎麼會那麼呆啊，我把紙星星拿在手上，然後再將手放進上衣裡面，就這樣走去跟老師說話，結果，老師還問我，你的衣服怎麼鼓鼓的？」

「老師沒發現嗎？」我好替這個孩子緊張呢。

「沒有。老師沒追問。」他說。

好險哦！我替他舒了好大好大一口氣。好像我自己就是那個好呆的小孩。

明明孩子做的是一件錯事，爲什麼我卻站在他那邊，而且還替他高興「他沒有被當場逮到」呢？

教養方式裡的下下籤

看著眼前這個守規矩、懂禮貌、體貼人的好孩子，我心裡甚至出現了這樣的聲音：不是孩子做錯的每一件事，都需要惡意地去揭穿它。想想我們自己小時候，誰沒做錯過

事呢？只是很多我們做的壞事，沒被任何人發現而已，但是最後，我們不是照樣長成了一個好大人了嗎？

我沒有說，這個孩子的偷竊行爲是對的。但是我不能想像，如果當時他當場被逮到了，如果老師剛好是個很不體貼小孩的人——當場羞辱他、辱罵他，甚至大聲宣傳、大聲嚷嚷……，那將是一個多麼可怕的景象啊！

我知道，大人們會說——我們的用意是要孩子記住，不可以再犯。每個打孩子的父母都是這個說詞。但是，你有沒有注意到另一件很重要的事：這個當場沒被逮到的小孩，最後學到了什麼？

沒被處罰的孩子，最後學會了「反省」。

他如果沒有反省，我們就聽不到這個故事。而且十二歲的他，一定已經發展出了誠實的人格了，因爲如果他還是一個繼續偷竊的孩子，是不可能跟任何人吐露他過往的壞事的；只有改過自新的人，才能勇敢地道出自己曾經的「荒唐」。

聽完這個故事後，我甚至有股衝動，要呼籲父母和老師們，對於小小的孩子，即使你捉到他偷東西，也不需要用惡狠的手段來「制裁」他。我甚至只是滴下了傷心的眼淚，什麼話也沒說，孩子就一輩子也忘不了。

我拿著這位媽媽的信，問身邊小五兒子的意見，看完後，他只說了一句：

「打沒有用，不要打他。」

「那要怎麼辦？」我追問。

「好好跟他說道理。」

唉呀，果然是我的孩子，他已經得到了我的眞傳。

我知道父母會說：「已經說過好多次了，他還是一犯再犯啊！」

但是，我要說的重點是：因爲這個家裡的大人，已經習慣用錯誤的方式來和孩子溝通。父母高興時好好說，不高興時隨時棍子伺候，孩子早已成了一個將父母的話當耳邊風的孩子。

「鼻青臉腫」是威脅，威脅在孩子的定義裡就是：被你捉到，算我倒楣；沒被捉到，算我運氣好。

人，不都是喜歡碰運氣的嗎？那些喜歡在外面拈花惹草的大人，一開始誰會認爲自己會被「捉姦在床」呢？「一哭二鬧三上吊」也是威脅而已，若對方不誠心悔改，哪一個婚姻救得回來呢？這樣能救回來的也只是表象而已。就像被打得鼻青臉

腫的孩子，他一定會馬上變乖讓你看到。但那也只是表象而已，因爲暴力在前，不得不低頭。但是孩子心裡在想什麼，你知道嗎？

說實在的，我只有心法，沒有方法，因爲每個孩子都在自己父母的腳邊，我無法畫一張完整的路線圖讓你照著走。如果一開始，大人就選擇原諒。原諒他，然後好好地跟他說道理，事情會不會不一樣呢？

我深信，唯一可以救回走偏了路的孩子的，就只有愛。原諒就是，鼻青臉腫一定不是。

對孩子，不要操之過急。父母心裡的焦急，有時候只是反應了自己自信心的不足。

不要叫小孩「不要哭」

父母給孩子的限制眞的很多。不過這些限制，通常也都是孩子必須養成的好習慣，父母也放棄不得。但是在這些眾多的限制中，有一項是最沒道理的，可是很多父母卻又常常逼得孩子必須馬上做到——

大家不妨去檢驗看看：當小孩開始哇哇大哭時，父母除了趕緊察看是怎麼回事外，還有一項要務，就是會「叫孩子不要哭」。

「哭」是種情緒的表達，不是在演連續劇，所以哪裡能說停就停呢？可是，很奇怪的，十個父母有九個半，無法忍受聽到孩子的哭聲，所以，怎麼讓孩子馬上不要哭，就變成父母當下最重要的事了。可是偏偏孩子眞的都不是在演連續劇，於是，父母捉狂之際，最沒有道理的一句話就冒出來了：「不要哭了，把嘴巴閉起來。」

父母常常爲了完成「讓孩子停止哭泣」的這個願望，卻用罵的讓孩子哭得更慘，甚至想動手打孩子，「你再哭，我棍子就要打下去囉！」

時常，父母才是最不理智的動物。被打了的孩子，不是會哭得更大聲嗎？反正，父母就是要使盡各種手段，讓孩子不要哭，甚至不惜動用暴力來威脅就對了。

喂，你讓孩子哭一下，是會死啊？哭，本來就是上帝賦予孩子溝通的工具之一。小孩子都不給哭，難不成是你已經預測到了孩子悲苦的未來，要他省下眼淚將來慢慢用嗎？

姊姊一歲前是個很怕生的孩子，所以很容易就哭了。哭了怎麼辦？就哄她啊。「哄她，這樣會不會寵壞了孩子？」不會。哭又不是做壞事。我反而認爲，故意不哄孩子、放任他哭到斷腸，更可能會讓孩子「喜歡哭的階段」拖得更久——「你竟然不理我，我就要用我的哭聲讓你魔音傳腦，直到你注意我。」這是我幫喜歡哭的孩子配的台詞。請參

考。

「那如果孩子是故意亂哭的呢？」

起先我會安慰你，如果你不領情，那我就等，慢慢等你哭到完。

這是姊姊幼稚園大班時，最常上演的戲碼：跟弟弟起爭執後，媽媽判定弟弟沒錯，然後她自覺受了委屈，就會開始大哭。這時候你會發現，馬上去哄孩子，孩子通常不領情。你可能還會被狠狠地甩開，好像我是她的男朋友似的，「惹我不高興，想抱我，免談。」不過，再怎麼樣，我也絕不會在這個節骨眼上罵她，或是叫她不准哭，就是等她哭完。

這是我印象很深刻的情景——我坐在床頭看書，姊姊開始趴在床上大哭，然後哭濕了一大塊床單後，她還會移動位置到下一塊乾的床單上繼續哭，大概總共移動了三到四次；然後哭聲漸小，她就朝我的方向移動，最後站到我面前時，通常只剩下小小聲的嗚咽了。這時候，我會順勢將她抱到我的大腿上坐著，緊緊地抱著她，讓她在媽媽的懷抱裡，把這場「哭」作一個「結束」。

哭，不是一種丟臉的行為

你有沒有聽過一種來自小孩的告白：「我一直哭不停的原因是，覺得哭好丟臉，而且不知道該怎麼停下來幫自己收場。」千萬不要讓孩子覺得：哭是一種丟臉的行爲。人，就是有七情六慾。高興、生氣、悲傷、難過，甚至跌倒了好痛，都是感覺的一種。當父母一味阻止孩子哭泣，甚至看不得孩子有生氣和難過的負面情緒，就是在傳達一種訊息給孩子：你的感覺是錯誤的，需要壓抑。

但是，這些情緒的表現，都是上帝設定給人類的密語，是沒有對和錯的。

當我因爲寫書而翻著從前的日記時，發現了三年前我和弟弟的一段對話：

「媽媽，我很愛哭嗎？」弟弟問。

「上帝創造眼淚就是要給人哭的。」媽媽說。

「可是我是爲了小事耶。」弟弟說。

「誰說小事不能哭，你想哭就哭。」在大人是小事，對孩子可能不是，不然幹嘛哭呢？一定是受了委屈了嘛。媽媽繼續說：

「如果有一個人，從來不哭，會不會很奇怪？」

「不會啊？」弟弟非常納悶媽媽的這種想法，「那不是很勇敢嗎？」

因爲孩子能想到的一定是跌倒啊、受傷啊，這類的「不哭」。

「如果有一個人從來不哭，連他最愛的人死了也不哭，會不會很怪？」這個媽媽說話啊，從來不避諱中國人最不敢提的字眼。

「哦——對——很怪。」他終於露出了恍然大悟的表情。那個時期，小二的他，好像要幫「小孩愛哭」這件事作註解，時常哭，有時候甚至會忍不住趴在媽媽肩膀上大哭起來——只因爲姊姊想裝大人，準備一個人去7—11買東西，但是不帶他去。

大約三到四歲，是孩子愛哭的高峰期。其實說高峰，大概就是一個月哭個三次吧。然後隨著年齡漸長，就變成一個月偶爾哭一次。現在，到了十到十三歲這青少年的預備期，除非是有很大的事情或委屈，不然孩子是難得掉眼淚了。不然可能就是回房間躲起來偷偷哭。

換個角度看事情：當孩子不對著你哭的時候，就是父母的保存期限，快要到了。有機會的話，請拿錄音機將你寶貝的娃娃哭聲錄起來保存著。有一天你將會知道，「珍貴」這兩個字是怎麼寫的。

後記：

一個小孩，趴在媽媽的肩膀上，悲從中來地大哭了一分鐘，那可能是媽媽人生裡，最甜美的回憶之一呢。這種機會，不會超過三次，可得好好把握啊！

親子間的溝通模式，從一開始就固定下來了。不論是好好說道理，或是怒目相視。

父母不得不說的一個字

跟孩子說道理，不是要父母變成一個囉里囉唆的人。沒有人喜歡被囉唆，包括小孩子。我自己尤其讓人囉唆不得，結婚十多年，先生曾經「囉唆過我的話」，不超過十句。我知道他很厲害，我運氣很好。

當我在部落格上詢問讀者：你曾經跟孩子說「不」嗎？信件如雪片般飛來，毫無疑問地，「不」根本就是媽媽每天跟孩子說的問候語。不過，當我在整理這些留言時，卻發

現了一個現象，它不在我的意料之中——

一開始，我用直覺對這些「不」作個分類：

第一類的「不」：吃飯不要用手抓。手不要放嘴巴。不要吃手。不要咬手。不要撿地上的東西吃。不要抓垃圾桶裡的東西。不要穿大人的鞋子……

第二類的「不」：不要踢棉被。不要一點點小事就哭。不要亂哭。不要亂跑。不要慢吞吞，趕快吃飯。不要用跑的，等一下跌倒了可不要哭哦……

第三類的「不」：不要把看過的書亂丟。不要挖鼻子。不要打架。不要躺著看書。不要看電視。不要躺地上。不要揉眼睛。不可以說話沒有禮貌。不要爬高。不要在客廳裡打球。不要站在椅子上。東西不可以用丟的。手不可以放進電風扇裡。不要吐口水。小心不要壓到小嬰兒。不要搶妹妹手上的東西……

我自己發明的分類標準是什麼呢？第一類屬於「船到橋頭自然直」型。也就是說，這些「不」，會隨著孩子的年齡而自然消失——

「不要把手放進嘴巴」是這類留言裡最多的一項。如果是屬於口欲期的孩子，如果他什麼東西都不往嘴巴裡放，那反而

是要去看醫生了。所以基本上這個時期，顧好孩子的安全，是最重要的事。

孩子一直把手放進嘴巴，會很困擾你嗎？那就先將孩子的手洗乾淨，然後讓孩子愛怎麼吃就怎麼吃，有小孩會將手吃不見的嗎？有一種說法可以聽聽：與其讓孩子咬固齒器或奶嘴什麼的，還不如吃自己的手來得乾淨。第一類型的「不」，都是會隨時間而消失的，所以父母不用太緊張，睜一隻眼就夠了。

第二類的不，我給它取的名字是「說了也是白說」。「不要亂哭」就是這類的典型。之前已經提過，孩子不會因爲你叫他不要哭，他的眼淚就可以馬上止住。

另外關於「不要跑」，我要特別提出來，這是那些尾隨在會跑步但可能又跑得不穩的孩子後面的父母，最常會說的一句話。

「不要用跑的，等一下跌倒了可不要哭哦！」這眞是最典型的廢話了。除非你把我拉回來牽著，不然我可能不跑嗎？父母也希望孩子能跑一跑，不是嗎？我還沒有跌倒，你就詛咒我；而且如果我眞的被你詛咒成功的話，我也一定會哭啊。所以父母的這句話，根本是自我安慰，跟孩子的安全一點關係也沒有。

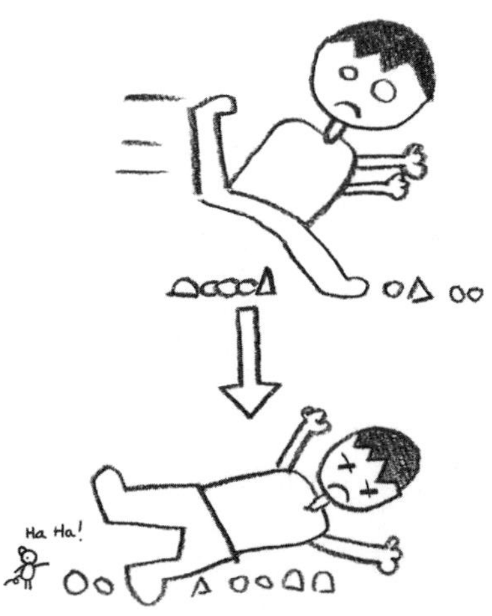

每次都跟在孩子後面猛喊，孩子跌倒的機率並不會因此減少百分之一。眞的遇上會跌倒的時候，孩子還是會跌倒。跌倒不是什麼大事，是小孩的必經之路。皮肉之傷，很快就可以復原的。

所以，有些提醒孩子的話，說一兩次也就夠了。既然說了也是白說，父母啊，能不說就不要說了吧。我們可不可以試著做個「酷一點」的父母呢，不要每天跟在孩子後面「碎碎唸」。如果父母不及早對此有所警覺，是會囉唆到八十歲還在囉唆的。

坐而言不如起而行

第三類的不，我把它歸類成「坐而言不如起而行」型。也就是說，父母不能只在旁邊猛喊，就以爲孩子會自動改進。大人還必須要有所行動才行。

不要把看過的書亂丟——「請把書撿起來放好」，如果是小小孩，我不介意幫他忙一起做。

不要挖鼻子——「寶貝，你鼻子癢嗎？過來，媽咪幫你看一看？」

不要躺著看書——「小乖，請坐起來看書，距離太近了，眼睛會壞掉。」

基本上，這樣的提醒，在孩子十八歲以前，做父母的都是不能免除的。這是人的惰性，是全人類的惰性，沒有立即性危險的事，例如近視眼，沒多少人能未雨綢繆的，尤其是小孩子。所以我愛他，我就必須提醒他。媽媽每多提醒一分，就馬上減少一分對孩子眼睛的傷害。以此類推，我會隨手幫孩子開燈，當他們看書忘了開足燈光時；當他們趴在地上看書時，我會立刻請他們坐好……

不要看電視——如果不是孩子能看電視的時間，我會直接將電視關掉。

不要躺在地上——走過去將孩子拉起來，父母不需要碎碎唸。其實躺在地上眞的很舒服，尤其是夏天，是小孩的最愛。

不要揉眼睛——「寶貝，你眼睛怎麼了？媽咪幫你吹一吹。」

不可以說話沒有禮貌——「沒禮貌的話，別人聽了會不舒服，你知道爲什麼嗎？」

不要爬高——「小乖，爬高很危險，如果跌下去，有時候連醫院都不用送了。」然後可以接三分鐘的道理，或是關於跌倒會如何的故事。如果孩子一直再犯，請增加每次說道理的時間。

不要在客廳裡打球——「請立刻把球收起來，樓下的鄰居會被吵得很不舒服。」

東西不可以用丟的——「東西用丟的會壞掉，不可以丟。」如果孩子一直再犯，請增加每次說道理的時間。你可以從爸爸找工作、被老闆罵、被同事欺負，然後辛苦賺錢養

家說起……

手不可以放進電風扇裡——與「不要爬高」屬同一種道理。

不要吐口水——「吐口水不禮貌，如果你那麼喜歡吐口水，我們今天洗澡的時候，可以一起來吐個痛快。」然後再告訴孩子，爲什麼只有洗澡的時候可以吐。

小心不要壓到小嬰兒——與「不要爬高」和「手不可以放進電風扇裡」屬同一種道理。只是這個等級比較高，所以道理可以說得久一點。這是習慣跟嬰兒同床的父母，要特別小心的事情。

不要搶妹妹手上的東西、不能打架——將另章論述，因爲兩三句話沒辦法說清楚。

親子之間的溝通，「好的開始」很重要

還記得嗎？一開始我是按照「不」的性質來分類，並沒注意到其他的訊息。不過，當我分類完畢後，卻意外發現了這個事實，那就是：從第一類到第三類，回頭去看這些問題中孩子的年齡，幾乎毫無例外的，是越來越大的。也就是說，第一類的「不」，孩子幾乎都在兩歲以前，然後往第二類推進，孩子的年齡也繼續往六歲上升。

所以，我要爲這個意外的發現，下一個教養觀點的結論：

父母對孩子的教養問題，並不會自動減少，反而會隨著孩子的年齡，自動「長大」。然而，親子間的溝通模式，往往在一開始就固定下來了。不論是好好說道理，或怒目相視。所以，當孩子年齡在兩歲以前，任何的道理，都要用最緩和的方式，對孩子說。不但不可以用威脅、恐嚇的方式，我們還要對孩子有信心：

只要父母好好說話，孩子一定是會很受教的。

其實，一旦這種良好的親子溝通模式被建立了起來，往後，父母也會越做越容易。因爲孩子已經習慣聽父母好好說話，而且也會慢慢體會到，遵守父母的教導帶給自己心裡的那份安全感和規律感。一旦這種好的感覺在孩子心中成形，孩子自然願意聽從父母之後所有的教導和照顧方式了，因爲這種方式讓他自己最舒服，不需要爲了測試父母的底線而弄得自己精疲力竭。

這就是我育兒十二年來的經驗談，「跟孩子好好說道理」，簡單、好用、不複雜。它只需要父母的兩樣東西：耐心和不妥協的態度。

什麼？沒有耐心。

什麼？也沒有時間跟孩子「不妥協」。

啊，對不起，算我白說了這麼多。

當孩子一連說了三次「我知道」，父母還停不了口的話，那麼——
將來父母罵孩子「我的話你當耳邊風」就是必然的結果。

篤定和耳邊風

「我的孩子總是將我的話當耳邊風，左耳進，右耳出。眞是氣死我了，煩死我了……」如果有一天你想對親戚朋友吐出這類抱怨孩子的怨言，請一定要三思。孩子爲什麼會將父母的話當耳邊風呢？因爲——

你說的話，就是，耳邊風。

書店的一隅，我正在幫孩子買課外書，姊姊弟弟一直都在長大，所以媽媽買書的動作不能停。突然聽到一旁的媽媽對孩子發出了管教的聲音，然後，緊接著令我不得不抬起頭來，因爲這位媽媽說的話引起了我的興趣，她說：

「我數到三哦！」然後看孩子不爲所動，「我找老闆借棍子哦！」

呵呵，拜託你幫幫忙好不好？你可能跟書店老闆借棍子嗎？還是誠品、金石堂的店員以後都要在櫃檯準備一根棍子給父母來借呢？

父母對孩子說的話，要切實際一點。尤其是小小孩，他聽不出你的幽默感，也弄不清楚你的威脅方式，但最後，他一定會對父母的態度有個重大的發現和結論：「我爸媽說的話，都是耳邊風，不要理他就好。」或是「應付過去就好。」

我知道我們都是有禮貌的父母，如果孩子在書店說話太大聲或是動作太大，可能吵到別人，那是不應該的。但是父母不需要說這些根本做不到的事，來威脅孩子。我們可以好好跟孩

子說道理，或是知道孩子不是故意的，給他提醒就好。

父母的工作，就是不斷地提醒。提醒到孩子養成習慣的那一天。弟弟小時候說話也很大聲，但他不是故意的，所以我也不需要用強烈的手段逼迫他在短時間內就改過來。我的工作，就是不斷地提醒。你知道嗎？就是昨天，我們到商場購物，因爲商場很吵，所以我說話比較大聲（其實媽媽說話原本就不是細聲細氣型的），結果，弟弟連續三次提醒我說話要小聲一點……，此時我才發現，他說話的音量，早已不像小時候了，平均音量已經降低了許多。

小孩子，難免玩瘋了，書店不是遊樂場，如果孩子忘記了，輕聲提醒他就是，不需要什麼棍子。

如果提醒無效，孩子還是照玩不誤呢？

「弟弟，這裡不可以玩，如果你不能安靜地坐下來看書，等我『下一次再叫你』的時候，我們就要離開這裡了。」請用嚴肅的聲音宣告你的聲明。

「下一次再叫你」是給孩子機會，但是父母下達這個指令的同時，心裡也要有所準備：你必須眞的會帶孩子走出書店。如果這是一件你做不到的事，那對不起，這個方法

你不能用。這句話你也不能說。

教養孩子，父母就是要有所犧牲。

如果今天是我的孩子不服管教，當場走出書店回家去、當場離開生日宴會回家去、當場離開餐廳回家去……，全都是我可以做到的事。只要是與「孩子人格養成」有關的事，在我的心目中，沒有一件事會比它還重要。

可是，這當中有一件蠻微妙的東西，雖然它是隱形的，但父母一定要用心體會它在教養孩子上的重要性——

其實這些「當場走人回家去」，弄得大家不歡而散的情況，我根本一次也沒有用過。不過，從孩子一歲到現在，都快要邁入青少年了，我的心裡一直都很篤定——如果遇上了，我一定會用。

「篤定」，對，就是這份篤定讓孩子願意服從父母的管教。

到底是「孩子很乖，所以媽媽很篤定」呢？還是「媽媽很篤定，所以孩子很乖」？我覺得是後者。因爲當父母態度不篤定的時候，孩子永遠會想知道你的最後底線在哪裡？

三歲的孩子，聽習慣了父母的耳邊風，不知不覺就會開始挑戰你——這時候父母只

要說話再大聲一點，就可以壓下孩子的挑戰。但是一旦這種親子間的溝通模式固定了，請問：等孩子十三歲的時候呢？你的音量到底可以大到什麼地步呢？

舉凡生活上的各種細節，教養裡不可缺少的都是父母的篤定，而不是耳邊風：「你玩具還不快點收好，等下我統統拿去丟掉？」

哈哈哈，你眞的有勇氣把玩具拿去丟掉嗎？那可是用自己的血汗錢一樣一樣買回來的啊！這句話打死我都不會說，如果眞的丟了，捶心肝、撞牆壁的人，第一個一定是我自己。

如果父母開啓了這種威脅的管教模式，接下來的台詞我先幫你準備好：你再不停地玩電腦，我就將電腦丟掉……。你再這麼晚回家，我就不給你零用錢……。你敢娶她，我就讓你一毛財產也拿不到……。最後，父母任何威脅都無效的時候，就只剩下這個殺手鐗了：「你敢XXX，我就死給你看！」

如果這不是你最後希望見到的親子關係，就請停止用「耳邊風」的話來管教孩子吧。其實，人生裡，不管是對誰說話，如果預料到自己說出來的話將變成「耳邊風」，就應該——什麼話也不要說。

不要一邊抱怨孩子不聽話，然後又一邊猛買玩具給他們。玩具無法讓你的孩子聽話，一點點都不能。

狠心媽媽，哪裡找？

我和好友在電話裡聊著「閱讀」的議題，她忽然一問：「光唸故事書，孩子的課業怎麼辦？」其實當時我們的孩子都在小學中低年級的階段，還不到需要開始擔心課業的時候，所以一下子聊天議題又岔開了，繼續天南地北地話家常……

「什麼？妳給孩子看連續劇？還是看那種最沒營養的，」就是那種你愛我，我不愛你；你愛我，你媽媽不喜歡我；我要離婚，你苦苦糾纏……「給小孩子看這種東西，還

來問我課業怎麼辦？妳瘋了嗎？」我在電話這頭大喊。

「我……我知道不能看，但是……但是我會心軟！」朋友說。

然後我們又聊到了飲食，已經體重過重的孩子，還繼續餵高熱量、沒營養的餅乾蛋糕，「不要給孩子吃這些東西了！」我又大喊，「外表美醜還是其次，過重的孩子，會影響一輩子的健康啊！」

朋友諾諾地說：「孩子吃東西的樣子好可愛啊，明知道不能吃，但是，我不忍心不讓他吃！」

我突然明白了一件事：今天姊姊弟弟之所以能有個健康的身體、快樂的童年、良好的人格、不用大人擔心的功課，全歸功於——他們有一個絕世無雙的狠心媽媽。

我很清楚地記得那個晚飯前的五點鐘，我坐在客廳的沙發上，幫姊姊一本接一本地唸著故事書。弟弟呢？還在媽媽隆起的肚子裡，所以可以推算出姊姊當時才兩歲出頭，是最可愛最討人喜歡的年紀。媽媽唸著故事書，小女生突然轉頭問我：

「馬麻，我可不可以吃一包蘇打餅乾。」

我看看牆上的時鐘：「不可以，快要吃飯了。」

「那我，吃一片就好。」姊姊用甜甜、嫩嫩的聲音再問。

「不可以，快要吃飯了。」我的語氣心平氣和，沒有大呼小叫。

「那我……那我……吃一口就好。」她一邊說，還一邊用小手比畫出小小一口餅乾的模樣。

甜甜嫩嫩的聲音，加上閃亮亮的天眞眼神。當時，我被這孩子嚇住了：這麼小的孩子，這麼渴望吃一點零食的孩子，而且，她不吵不鬧，只是一直「退而求其次」；面對這麼乖巧可人的小孩，你忍心不給她吃嗎？

所以我說嘛，我是天底下最狠心的媽媽啊！——

「不行哪，吃飯前不可以吃零食，吃完飯後我們再吃。」我清清楚楚得記得自己當下那種「慷慨赴義」的心情，可能跟林覺民寫「與妻訣別書」的決心差不了多少。姊姊失望的眼神是想當然耳的，但眞的沒有一點吵鬧。

你以爲有個不吵鬧的孩子，是父母的福氣嗎？那才是父母眞正的考驗啊！

面對這麼乖、這麼受教的孩子，父母還要一而再、再而三地吐出「不可以」三個字，你知道，那有多困難嗎？

孩子要在好多年、好多年之後，才會發現——原來，媽媽說「不可以」比說「可以」，需要更多的決心哪！

今天心軟，明天就會後悔

弟弟小學一年級的時候，有一天跟媽媽並肩而坐地在看書，他突然跟我說：「媽媽，我好想吃冰淇淋。」那當然又是一個不能吃冰淇淋的時間。但是那天，我突然感傷了起來，因爲弟弟的皮膚過敏現象已經日漸好轉，從小被嚴格限制食物種類的他，突然全部的食物都解禁了，於是他頓時變得對每一樣食物都顯得興趣盎然。

「弟弟，你知道嗎？媽媽好想把全世界最好吃的冰淇淋、餅乾、布丁、薯條，全都搬來讓你吃個夠。」弟弟當時的眼神，是驚訝且不可置信的。因爲在他的腦海中，媽媽一直都是一個嚴格管制他吃東西的守衛，「不讓他吃東西」是這個守衛堅定不移的信念，「這樣的守衛，怎麼可能心裡會有這種『放肆』的想法呢？」

「媽媽讓你想吃就吃，是一件非常容易的事。」弟弟仍然一臉不解，媽媽繼續說，「我只要說好，你又很高興，這不是很容易嗎？看著像你這麼可愛的孩子，然後說『不可以』，才是一件非常困難的事呢。你知道嗎？」

「那——妳爲什麼不選簡單的？」弟弟很想讓媽媽上當，但卻一步一步走進媽媽的陷阱裡。

「因爲媽媽好愛你啊！」

「妳最——自以爲是了。」弟弟對媽媽嗤之以鼻，知道自己又上當了，懊惱怎麼就是沒辦法佔到媽媽的便宜。

我不知道弟弟當時的心情，是失望比較多，還是甜蜜比較多。但是媽媽知道，現在的環境不比從前單純，到處都是可以寵壞孩子的陷阱：經濟富裕的父母、少子化下更珍貴的孫兒、無所不在的電視電腦和網路……。當孩子還小時，我必須當個狠心的媽媽，因爲如果父母都沒有辦法幫孩子把關的話，還有誰能勝任這份狠心的工作呢？

而且我知道，如果我今天心軟，明天就會後悔。「後悔」總是在「已經來不及了」的時候，才會用到的詞。所以當父母的，大部分的時候，都不能——心太軟。

孩子的好習慣，大部分都不是天上掉下來的。就好像父母的手上，有一顆黏著巧克力的毒蘋果——當下，父母不能狠心收回手上的巧克力，就等於將毒蘋果也一起送進了孩子的嘴裡。只是，這顆毒蘋果的毒，不會很快發作罷了；不過，一旦它發作了，你必須花十倍的力氣去解毒，而且手忙腳亂之中，可能還找不到正確的解藥。

不要翻舊帳。從前發生過的事，應該從前就說過了，所以不需要再說一次。父母一旦開啓了「翻舊帳」的說話模式，不多久，孩子也將學會用這種方式對待父母。

小孩也需要面子

不要在外人面前罵孩子、處罰孩子。甚至跟孩子「說道理」的這件事，最好也是在一對一的情況下進行。

做錯事的孩子，可能被你處罰得無怨無悔，但是他不會希望別人也知道「他做錯事了」。替孩子留面子，就是一種尊重孩子的態度。孩子做錯事，你可以處罰他，但是，你不可以不尊重他「不想被別人知道」的權力。

小小孩，在一開始，是不知道「什麼是面子」的。等到孩子可以感受到別人的眼光時，如果父母還是常常忽略「幫小孩留面子」這件事的話，小孩心裡是會不好受的。而且，因爲這種不舒服的心理狀態，不像跌倒了馬上會痛，多數的孩子不會用語言直接表達，很少會說：「媽媽，你不要在人前這樣對我，即使我做錯事。」

爲什麼有孩子會在人前耍賴、撒野、尖聲大叫，讓父母親很沒面子？大人有沒有想過：自己曾經在乎過孩子的面子問題嗎？「你不給我留面子，等我逮到機會時，也會乘機報仇。讓你顏面掃地。」

人人都說，孩子是父母的一面鏡子。但有多少父母，在孩子出現問題時，第一個想到的是自己呢？

第三者就是第三者

我爲什麼會注意到這件如此不起眼的育兒細節呢？是孩子提醒我的。但是孩子對父母的提醒，父母都有放在心上嗎？那一年弟弟才幼稚園大班，他正確無誤地跟媽媽說：「媽媽，以後我問妳問題，如果答案是不可以，回答的時候，請不要給別人聽到。」

孩子連被父母拒絕，都希望這拒絕只存在於你和他之間，不希望有第三者聽到。

然後，當孩子犯錯需要媽媽說道理的時候，弟弟會說：「我不要姊姊來聽。」姊姊也會說：「我不要弟弟來聽。」所以他們自己的事，我這個法官是無權公布的，除非「犯人」自動願意向別人「告解」。

爸爸、爺爺、奶奶、舅舅，是姊姊弟弟最親近信任的人，沒有孩子的同意，我可不可以隨便將他們的「罪行」，以三姑六婆、閒話家常的方式向他們公布呢？

唉呀呀，當然不行哪，除非我活得不耐煩了。

我不只在「人前」幫孩子留面子，連「人後」我都尊重他們的意願。有幾次我跟我自己的弟弟，也就是他們的舅舅閒聊，不小心透露了孩子的糗事，結果當場被孩子白眼不說，事後還被他們罵到臭頭。而且我一句話也不敢回嘴，誰叫我是大嘴巴呢。

有一陣子，弟弟非常的吵，所謂吵，就是對於他自己的想法，即使得不到媽媽的認可，還是會鍥而不捨地從各種角度想要說服媽媽。四年前的某一天，媽媽正要帶他出門，然後他又開始吵，我們一邊上計程車一邊討論，最後，我的結論還是「不可以」三個字。下了計程車後，他寒著一張臉不說話——

「媽媽說不可以是有理由的，你爲什麼要生氣?」因爲孩子幾乎從來不會對媽媽生這種氣的。

「我不是因爲你不答應我而生氣。」弟弟答。

「那是爲什麼呢?」

「我跟你說過好多次了，你都不聽。」弟弟的抱怨強度不變，但卻不肯隨便公布「媽媽的罪狀」。

「什麼事媽媽沒聽?」我這麼尊重孩子，很少犯規的。

「我不是說過好多次了，不要在別人面前跟我說不可以嗎?」

「哪有別人?」從頭到尾就我和你兩個人，一個別人也沒有。

「剛才你在計程車上……」

「計程車上哪有別人?」

「司機就是別人哪。」

什麼?!我和他在後座討論，最後媽媽下結論說「不可以」時，可能忘了將音量壓低，孩子，這樣也不行哪，你也太嚴格了吧!

但是，我還是當場答應孩子：媽媽以後會盡力「不讓別人聽到我們的談話」。雖然我還是常常忘記。

不肯花心思尊重孩子的父母，苦果在後面

一年前，有天我在瑪莎百貨買東西，結帳的櫃台角落邊，一個三歲的小男孩，拿著MM巧克力的盒子在地上玩，不一會兒逛街回來的媽媽發現了——連續劇也開播了：

媽媽一把搶下孩子的糖果盒，然後故意學孩子將糖果盒放在地上磨來磨去的動作，然後拿起來就硬是往孩子嘴裡塞，一邊塞還一邊說：「這個夠髒了吧，你吃呀——吃呀——」小孩當場嚇呆了，但媽媽竟欲罷不能，再重複一遍動作和台詞，直到小孩嗚咽地哭了起來。然後她驕傲地轉頭對先生說：「街不用逛了，我們走。」

今天不論孩子是三歲還是三十歲，父母都沒有權力這樣「虐待」孩子。我提到的尊重，和家規是不同的。「你多嚴格地限制他不吃麥當勞，孩子都不會在意」，但是，如果父母不在意孩子心理的健康，任意傷害孩子幼小的心靈，總有一天，這樣的父母會嚐到苦果的。不肖子，不是天生下來就是不肖的。

請看看孩子那張委屈和難過的臉，大人到底有什麼毛病？孩子行爲不對是事實，但是他們是故意的嗎？爲什麼大人總愛拿羞辱孩子來出氣呢？

忍住自己的氣，不往孩子身上發，是父母一輩子都需要修練的功夫。

後記：

對於孩子的要求，明明父母已經說「不」說了好幾次，如果孩子還是不放棄，想要繼續跟你「盧」下去的話，該怎麼辦呢？

因為很多時候，父母不一定都有時間和孩子「窮蘑菇」，當孩子不願意接受父母的答案，然後又想硬拗時，「我們的討論到此為止」絕對是個合情合理的結束。

當姊姊弟弟比較大了，也比較有跟父母相較量的口才時，我通常會在這個節骨眼上說：「如果你還有意見，我們找個有空的時間，再來好好討論這件事。」這不是我的推託之詞，我是打心裡願意跟孩子討論任何事情的。

如果父母的道理說錯了，反而被孩子回得啞口無言呢？很糗沒錯。但你還是要勇敢地承認：「對，你說的有理，我錯了。」

我的話，就是法律

香港的這所國際學校，說它進步嘛，有些事情，我卻不是很能認同：小六的學生，就希望他們每人有一台個人電腦，而且可以帶上學。讓這麼小的孩子有機會沈迷於電玩和網路世界，是好事嗎？對於孩子接觸電腦的時機，這項把關，我是用很嚴肅的態度在面對的。因爲有些父母根本不知道，這麼早有個人電腦的孩子，將可能花費大把且珍貴的童年時光在這上頭呢，可惜啊！

我還多撐了一年，在同學們幾乎都人手一台電腦後，我才勉爲其難地買了一台給姊姊。可是，媽媽的但書事先說得很清楚：不可以下載電玩軟體。不可以在學校上網玩遊戲。在週末規定的時間內，他們想上網玩遊戲的話，可以在家裡的桌上電腦玩。

這個星期，爸爸出差，而且一走就是四天。爸爸出差，孩子卻很樂，不是因爲爸爸不是好爸爸，而是，爸爸不在家的晚上，姊姊和弟弟可以跟媽媽擠一張大床睡覺。漆黑黑的房間，媽媽習慣關燈睡覺，我們三人躺下後，就是孩子最愛的「聊天時間」了。他們常常你一言我一語，媽媽忙得連頭都來不及轉。有時候我還得出面指揮話流量，「姊姊你先說，你說完，底迪，你還有時間再說一件事，然後我們就不能說話了，太晚了，要睡覺了……」

昨天，我們天南地北地聊著，突然，姊姊丟來一個問題：

「媽媽，我幾歲可以交男朋友？」你了解這個世代的孩子嗎？可能跟她讀的是個國際學校有關吧。（外國人較早熟、較開放？）小小年紀，就開始關心起這種問題。

我不禁止孩子「做白日夢」或「整天轉換暗戀對象」，只要他們能將功課也顧好。

「我不知道。」媽媽心裡也舉棋不定，因爲——我眞的也不知道正確答案哪。

「可是，我們老師說，十三歲交男朋友很正常。」什麼？這是什麼外太空來的老師，

想害我的孩子啊！

「哦——哦。」我不想跟她爭辯，因爲我們倆根本是不同世代的人，怎麼會在這件事情上有一樣的看法呢？但姊姊卻鍥而不捨地追著媽媽要答案。於是，我只好尋求第三者的意見，不是說「三個臭皮匠勝過一個諸葛亮」嗎？但是，另一個臭皮匠，卻是只有十歲的弟弟呢。不管這麼多了——

「弟弟，你說，姊姊幾歲可以交男朋友？」當時，我們的話題正熱烈，漆黑的房間，看不見嘴形，完全得靠聽力，而這時已經不是小娃兒的弟弟，正趴在我的胸膛上，像個小嬰兒似的在聽媽媽和姊姊對話。

第一次我問，弟弟沒有回答，而且是用那種「我明明聽到你說話卻不回答」的態度。然後姊姊繼續用同一個問題糾纏著媽媽，媽媽急了，又問：「弟弟，你說說看你的意見嘛，到底幾歲可以交男朋友呢？」

還趴在媽媽身上的他，我們母子倆臉和臉的距離不超過十公分，只見黑黑的一顆小腦袋瓜子，被逼急了，吐出來的話竟然是：「我不知道啦，Your word is the law。」

你說的話，就是法律；既然有法律規定了，問我幹嘛呢？

媽媽當場被他說出來的話嚇住了。我們相識一場，十幾年了，我從來不知道，我在

孩子面前說的話，竟然被歸類爲「法律」。

其實，媽媽平常說的話，只是家規而已。可是，更重要的是：家規必須被遵守。就像學校規定要穿制服，你不能不穿；公司規定九點準時上班，你也不可以遲到；婚姻是一夫一妻制，你最好也別違背……

我們的聊天還沒結束呢，但話題變了。

「弟弟，你再過一年就要買電腦了，你要小心哦！」姊姊好心警告弟弟，「大家都會迷上電玩，然後上網下載免費軟體，每天一有空就玩得停不下來。」

「媽媽不是說不能下載嗎？」弟弟問。

「媽媽，你知道嗎？」姊姊突然好像想起什麼秘密似的對我說，「到目前爲止，除了我的兩個好朋友，其他的每一個人，知道我沒有電玩軟體時，都想教我怎麼下載，甚至要將自己買來的複製給我，然後我如果說我媽媽不准時，每一個人，」此時，姊姊用加重的語氣強調，「每一個人，都說沒關係。隨便找個地方藏著，你媽媽不會知道的。」

一片漆黑的房間裡，姊姊接著吐出了她的名言：「Kids live in lies。現在的孩子，根本是靠謊言過活。他們的爸媽根本不知道，小孩都在騙他們。」

管教孩子，是父母的責任

「管」就是管理，「教」就是教導。

「權」就是權力，「威」就是威信。

我們必須管理和教導自己的孩子。管理和教導孩子，是父母的權利，也是義務。管教孩子時，父母當然必須用到權威。未成年的孩子，你永遠不可以妄想讓他跟你平起平坐。跟小孩子平起平坐，那是非常不切實際的「白日夢」。等孩子十八歲成年以後，我們還有大把的時間可以去享受「是親子卻像朋友」的關係。

媽媽的話，就是法律，那不是一朝一夕的事情，也不是只靠權威就可以撐起來的信任。光靠權威可以撐起來的，都是表象，我們該不會只想養出個「對父母作表面功夫」的孩子吧！

管教出守紀律的孩子，無任何捷徑，只需父母的耐心和時間而已。當然更重要的一項，就是正確的教養方式。

如何正確地對待孩子呢？就是多跟他們說說每一件事情的道理。世界上的道理何其多，面對一雙雙閃亮亮的眼睛——其實，你去做了就會知道：跟孩子說道理，根本是一件不能錯過的人生大樂趣呢！

不是訓話，不是教條，只是說說爲人處事最基本的東西。與其跟孩子說「工作無貴賤」，倒不如在他們嫌收垃圾的工作很髒時，跟他們聊聊：「如果這個收垃圾的工作沒人要做的話，世界會是個什麼樣子？」我還記得當我第一次提出這個道理時，當時年紀小小的姊姊，眼睛裡卻是大大的「原來如此」。

當你的話語，讓孩子的內心累積越來越多的「原來如此」後，有一天，你就會突然發現：眼前站著的，就是一個通情達理守紀律的好孩子。

我，確實可以看見你眼睛裡的——微笑。

後記：

「媽媽，我幾歲可以交男朋友？」這是幾個月前發生的事，但是別小看孩子的敏感度，弟弟聽到這裡時，馬上請作者更正：

「媽媽，姊姊沒有說——我。」

「什麼我？」媽媽一時還沒意會過來呢，只差一個字，有什麼不同。

仔細想想，當然不同囉，還是很不同呢。

然後我又繼續念到「三個臭皮匠勝過一個諸葛亮」，聽過媽媽唸三國演義故事的弟弟，當然認識後者，但是前者，「媽媽，什麼是臭皮匠？」

「嗯，嗯，」我一時還真不知道怎麼用孩子的語言來解釋它，「就是，不怎麼樣的人。就是諸葛亮的相反啦。」

然後再來，等弟弟聽到，原來他就是媽媽說的臭皮匠時，竟然像個五歲的小孩一樣，摀起耳朵大聲抗議：「我哪裡是臭皮匠呢，我不要聽，我不要聽……」

最後，我又留了一個小辮子給他捉到了，讓他扳回了一成：「媽媽，Your word is the law。沒有『the』，你英文不太好。要用功一點哦。」

小孩，永遠就是這麼可愛。天底下最可愛的，就是小孩子。

第二篇

怎麼跟小孩——說道理？

我傾向跟小孩說明每一件事情的道理。

無論是他們做錯事的時候，我需要說明「他們哪裡做錯了？什麼才是對的」，或是，當我必須對孩子定出一個新的家規時，例如：「每天吃完早點才可以出門去上學」、「出門前，必須跟家裡的每一個人說再見」、「跟朋友說手機不可以超過……」哦，我又囉唆了，以下請自行類推五百項。

多年前，當姊姊弟弟還在小學低年級的時候，每天送他們上學的我，有一天，突然發現了這件事：校門口，導護老師竭盡所能地和每一個進校門的學生道早安，但是，你會看到百分之八十的孩子，卻將熱心打招呼的老師當成隱形人，大搖大擺地走進校門。當我發現了這個現象後，心裡好驚訝，也好替孩子們緊張啊。（這麼小的孩子，就養成這樣的人生態度，真是讓人心裡打哆嗦。）於是，我馬上找個時機，跟姊姊弟弟宣布媽媽的新規矩：「以後你們每天進校門的時候，請看著導護老師的眼睛，打招呼道早安。」

當然，我的教養動作不會就這樣結束了，而且姊姊弟弟也非常了解我——媽媽說道理和說故事的時間要上場了。他們會引頸期望地聽我下面要說出什麼新鮮事來。通常，我會將自己眼睛的觀察和心裡的想法，一五一十地說給孩子聽。「做個不禮貌的小孩，沒有人會喜歡你。」是父母最常用的說法。請問：如果有人不需要別人的喜歡，是不是就有權力不禮貌了呢？當然不行。真正的道理是在「將心比心」四個字而已。「孩子，如果有

一天你做了老師，當你這樣熱情地對待小朋友時，看到的卻是一張張冷漠的臉，你心裡會不會很難受？很不舒服？」不要說大人了，小孩只要看上一眼「那些冷漠的臉孔」，不需要大人的說教，孩子一定願意遵守你給他的禮數和規矩。

自從我接下了「媽媽」這個工作後，不論是多麼小的事情，只要是與孩子的品格、習慣、規矩養成、人生態度有關的，它們馬上會自動跳升到媽媽工作裡的最高層級——甚至比吃飽穿暖還重要，所以我都會最優先處理。

時時刻刻，我都願意拿出我最大的耐心和極限，盡心盡力地跟孩子解釋每一個他們的疑問。即使姊姊弟弟現在已經快要進入青少年階段了，我還是不敢在這件事情上懈怠（其實我是樂此不疲啦）。

我總是用最大的誠意對待孩子，所以當然我也假設他們，在遵守媽媽的規定之前，是很希望聽聽事情的原由，而不是只想找媽媽話裡的漏洞，跟我討價還價。事實上，他們幾乎從來沒有。我們總是就事論事地討論每一件事情該有的道理。

需要跟孩子解釋的東西有哪些呢？包羅萬象，所以我僅能就我的經驗說給你參考，希望藉此激勵父母們的想像力和創造力，將「跟孩子說道理」這件事，變成育兒生涯裡，充滿生活樂趣又有挑戰性的工作。大家接招了——

如果是你遇上了這些問題，你會怎麼跟孩子說呢？

希望孩子有個快樂的童年嗎？一開始就「好好的管教他」，是你最該做的事。

爲什麼我不能搶妹妹手上的東西？

這可能是父母最早必須面對的手足紛爭。

「呵呵，還好我只有一個孩子。」你不要高興得太早，家庭、學校、親友聚會、遊樂場，隨時都可能上演孩子們搶東西的戲碼，即使你不搶人家，人家可能也會搶你。怎麼辦？

我在一發現姊姊弟弟有這個現象後（其實，我完全沒有印象他們有搶過東西），可能

是在姊姊四歲，弟弟才一歲的時候，開始有那麼一點點「可能動手搶東西」的跡象時，我就開始說道理了。我的道理很簡單：

「姊姊，」可能不是她，我只是舉例，「你不會喜歡別人搶你的東西，對不對？所以，你也不可以動手去搶別人手上的東西。」

「媽媽，可是那是我的東西，弟弟拿走不肯還我。」

「如果你好好跟弟弟說，弟弟還是不還給你的話，就來跟媽媽說。媽媽會幫你的忙。」

「即使，是別人先從你手上把東西搶走，你也不需要去搶回來。在家裡找媽媽幫忙，在學校找老師。」這就是我明明白白跟孩子說過的規矩。

有沒有在學校看過搶東西的孩子，如果你一眼看到搶成一團的孩子，你可以分辨誰對誰錯嗎？即使老師最後出來評理，如果你的孩子也是動手搶的一員，即使他只是保護自身的財產，你能夠保證老師不誤會孩子嗎？

所以，如果我想教導我的孩子，讓他們在任何場合裡，盡量避免將自己陷入這種混亂狀況，方法就是——不要動手，快去找大人幫忙。

因爲你的孩子是「用說的」來闡明自身的狀況，而別人的孩子是「用搶的」來維護

自身的權益，你覺得誰得到公理的機會比較大呢？沒聽過「君子動口不動手」嗎？而且這也是給孩子練習的機會——

「將事情透過頭腦，用嘴巴說清楚」，這才是人生可以立於不敗之地的基礎。

姊姊弟弟，從小就不互搶東西，不是因爲媽媽很兇會罵他們，也不是因爲他們天生善良不會做出這種事，而是因爲——今天誰如果敢動手搶東西，「搶到也沒用」，說道理的媽媽馬上就會出現了——

「啊啊，好可怕啊！可以說四十分鐘道理的媽媽要來了，我東西還是快快還給你比較好。不然我會被媽媽的道理煩死。」

只要父母的耐心大過孩子

我知道有父母要問我：「要是你道理說盡，弟弟手上的東西，還是不還給姊姊呢？」

我要說的重點是，通常父母看到這種狀況，不管是弟弟搶姊姊，或是姊姊搶弟弟，以下請用攝影手法裡的慢動作來想像——父母，一個箭步上來，二話不說，一把搶下東西，轉手還給另一個孩子；嘴裡罵著：「不可以搶別人的東西，這是很沒有禮貌的行爲。」

停！請大家停格在「一把搶下東西」這個動作上。什麼叫「父母要以身作則」？這

就是最明顯的錯誤示範。

什麼叫「道理說盡」？三分鐘不行，就說五分鐘；五分鐘不行，就說十分鐘。只要父母的耐心大過孩子，很少有孩子不「屈服」的啦！即使是兩歲的孩子，心裡都會知道，「搶別人的東西」是不對的；即使他們不能百分之百知道其中的道理，也是隱隱約約明白的。孩子心裡上的「理虧」，加上父母願意「好好說道理」——世界上，就不會有不肯聽話的孩子了。

爲什麼不能搶別人的東西？父母能對孩子說的道理，可以無限延伸……

「有一天，媽媽去7—11買麵包，路上走過來一個阿姨，她看了我的麵包很好吃，然後她的肚子剛好很餓，你覺得，她可以伸手過來搶我的麵包嗎？」

如果孩子夠大，還可以繼續說：「假如分別有兩個壞人，一個壞人所做的壞事，是將爸爸的手打斷了（如果你還有其他仇家，請自行替換這裡的人稱）；另一個壞人並沒有傷害爸爸一根汗毛，只是，伸手搶了爸爸要付給7—11阿姨手上的錢。如果最後，這兩個人都被警察捉到了，你知道誰會被關得比較久？」

小孩都一定會以爲是第一個壞人。實際上，搶劫是很重的罪，「爲什麼？」其實我也不知道眞正的原因，但是我就用常識來說說看好了（請不要挑戰我說的話，如果不服氣，去查刑法囉。）——如果搶劫不是很重的罪，那麼不想工作賺錢的人，就去搶銀行好

了。社會上缺錢的人很多，搶銀行的風險不大時，反正只要關個幾年而已，跟偷車也差不多的話，就會有更多的人進入這個犯罪的領域。那，這樣的社會，還會適合人類居住嗎？

道理說到這裡，有沒有聽得津津有味的感覺了……但是，如果，「弟弟手上的東西，還是不還給姊姊呢？」

呵呵呵，我還可以繼續說下去……

媽媽在紐約讀書的時候，常常要坐地下鐵來來去去。剛到的那年，是1989年，學長劈頭的第一句話就是：「目前，沒有人沒被搶過。」最誇張的是，有一天我下課要回家，先買了麥當勞然後去坐地鐵，結果竟然有人在地鐵門要關上的五秒鐘前，搶了我手上的麥當勞紙袋子，然後就衝出車廂了。

你可以想像一下，不要說五歲的孩子，甚至十多歲的，聽到這樣的故事時，心裡會有多大的震撼啊！

我就不信，遇到這種「愛說道理」的媽媽，還會有固執不聽媽媽話的孩子？

後記：

打斷手和搶錢，哪一個人關得比較久？很簡單的常識嘛！但是，如果你有小學甚至國中年紀的孩子，問問就知道——不要驚訝，十之八九都會說打斷手。

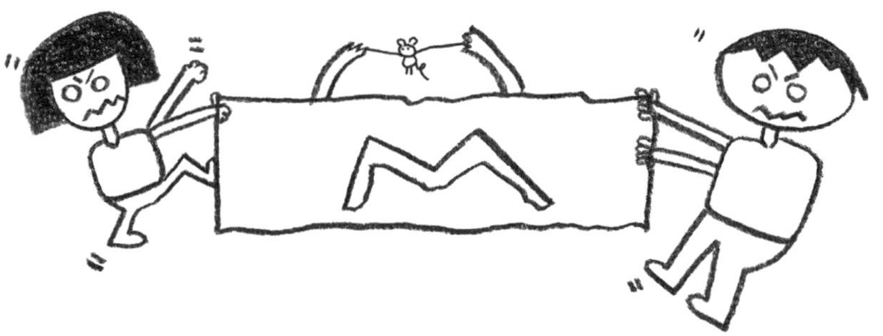

「這孩子天生就是個壞胚子」，說這種話，或是心裡這麼想的大人，只是顯示了自己的無知和推卸責任的心態。

爲什麼不能打架？

如果——父母不能斷然阻止或戒掉孩子們動手搶東西的習慣，「打架」當然就是隨之而來的問題了。

有專家建議，孩子的事，父母不要插手（我好像也說過這句話）。但我們可不能只聽到上一句，就忘了人家下一句的叮嚀，然後斷章取義。父母的不要插手，是有限度的。

當孩子搶成一團或打成一團時，當然需要插手管教孩子。就好像一個社會，如果有人打

成一團或搶成一團時，警察可以不出面，還在一旁說風涼話嗎？「喜歡打架嗎？打給你們去死，我也不會管的。」

父母就是家庭裡的警察，這是我發明的說法。而且我也已經做了十多年的家庭警察，希望父母的保存期限到期的時候，就是我從這個吃力不討好的工作上退休的時候。

小孩子爲什麼不能打架？其實這跟大人也不可以打架，根本上是同一個道理。因爲打架就是使用暴力，使用暴力，就不是文明社會採用的生活方式。除非你想退回山頂洞人的洪荒時代，人與人需要打架搶地盤，人與動物也需要打架搶食物，誰的拳頭大誰就是贏家。如果你不想退回去那種野蠻的生活方式，就必須遵守文明社會所發展出來的規矩。

姊姊弟弟什麼時候打過架，我也是完全沒印象。可能在有那麼一點點拉扯時，我就開始說道理了。

人與人之間，一定會有意見不合的時候，然後意見不合又溝通不了呢？不理性的人就可能開始動手了。理性之於孩子，原本就是較薄弱的，所以才需要大人的教導；其實，沒理性的大人也很多。

別人家的孩子動不動手我管不了，但是我們家的孩子就是——不可以。爲什麼？

如果你看到路上有甲乙兩個大人在吵架，他們吵得再凶、再大聲（可加聲效），警察

可能都不會管。但是，一旦有人動手打架了，不管是甲打乙，或是乙打甲，或是兩個人打成一團（可加動作），警察就會來評理主持正義了。然後警察的第一個問題就是：誰先動手的？

例如，是甲先罵乙神經病，然後乙一生氣，就動手打甲。誰會先被捉起來關？一定是乙，因爲「動手打人」的罪比較嚴重（即使是普通傷害，依刑法第 277 條之規定，最高可處三年以下有期徒刑）。至於罵人神經病呢？因爲沒有立即性的生命危險，法官必須慢慢想想，到底誰對誰錯，所以罵人的可以先回家，等法官想清楚再決定。

孩子，你看看——如果當初乙不動手，先忍下這口氣，然後去跟警察說（或去法院提告），他自己不是一點禍都不會惹上身了嗎？

打架，只能洩一時之氣，是解決不了事情的

我認識一位爸爸，因爲從小是被同學和老師欺負長大的，

所以等他自己有了兒子之後，他給兒子的信條就是：「誰打你，你就打回去。不要管老師說什麼。」驚訝嗎？等你聽過他的理由後，你可能也會同情他的這種說法。

他說：國中時，他一直被欺負得很慘，因爲個子小，發育得比別人晚。有一天，大概也是長高了些吧，他忍不住還手打了回去，之後，卻發現到，別人再也不敢欺負他了。那是他已經被欺負了三、四年之後的事。

聽起來很有道理吧。記住：別人的經驗，都只能參考。因爲他的孩子非常害羞膽小，連跟老師說「有人打我」都不敢，所以這位爸爸看到這種情形之後，再想到自己的舊仇加上孩子的新恨，當然可能衍生出這樣的教養結論。因爲從爸爸的眼裡，他又看到了從前的自己，自己從前未能完成的憾事（被欺負得抬不起頭來），當然不希望讓孩子再重蹈。

現在孩子的品行，壞到讓你沒辦法覺得不可惡。這位爸爸曾親眼看到，台灣小學二年級的班上：有同學看你好欺負，只要經過你旁邊，手上有什麼就用什麼刺你；今天是保特瓶，明天不知道會不會是鉛筆；完全無冤無仇，只是好玩，將欺負同學當成生活樂趣……

但是，不論我的孩子有什麼樣的個性，我不會鼓勵他動手打人。原因很簡單，因爲你不知道你今天教他的東西，他會不會在三十年後轉化成另一種形式，用在另一半或他

自己的孩子身上。

教孩子要一步一步來，先鼓勵孩子「遇到困難找大人幫忙」，這是第一步。

明明已經是天生害羞的個性，再加上被同學欺負的壓力，然後父母給的建議又是自己做不到的事，這樣的建議能給孩子什麼幫助呢？心理上的、身體上的，一點忙都幫不上，還可能越幫越忙——

有沒有可能？對孩子來說，無關痛癢的被同學欺負，很快就忘了；但是，「未能做到父親希望我勇敢」的壓力，卻跟隨他一輩子。

「兩個人都去罰站，今天晚上都不許吃飯。」當父母看到打架的手足時，這是常常出現的管教方式。簡單、快速，父母眞的很省事。但我不會用這種掩耳盜鈴的方法。孩子一定是因爲有事情解決不了，才會走上「打架」這條路的。

看到兩個打架的孩子，我的第一句話，一定是：「誰先動手的。」

先動手的，先輸了第一回合。此刻，動手的人一定不服氣，所以我必須再幫他解決「他心裡的不滿」——

「因爲剛才我下棋下輸了，弟弟說我是笨蛋。」

「好，弟弟，你輸了第二回合。」所以兩個人都去罰站，打人的罰二十分鐘，罵人的

罰十分鐘，因爲「打人」的情節比「罵人」的嚴重。你說，這樣以後，哪個孩子還會笨到先動手去打人？

孩子的自制力不是天上掉下來的，只要給他們道理和理由，孩子很快就能學會如何「聰明且愉快」地過日子。

後記：

「老師也會欺負人？」弟弟一聽到我說有人曾被老師欺負，就發出了好大的疑問。然後我就將他們最愛的舅舅小時候被老師欺負的事搬出來說。他相信之餘，又下了結論：「只有落後國家裡的落後學校裡的落後老師，才會。」

「我四年級的時候，也被人吐過口水。」弟弟也搬出了往事。「你有跟老師說嗎？」

「有，可是老師沒怎麼理。」你有罵那個同學嗎？

「沒有，那時候我 too gentle to 罵人。」請原諒他的中英混合句型，「現在，我會說些恐嚇的話嚇退這種人。」恐嚇？

「Stop it, if you value your head.」再不停止，小心你的腦袋不保。怕了吧！

喜歡撒野打滾吵鬧的孩子，不是因為他天生就是惡魔，只是因為大人曾經給了他得逞的機會而已。

爲什麼媽媽不能抱你？

沒有長時間抱過小孩的人，絕對很難想像「抱小孩」這個看似簡單的動作，如果你持續超過一定的時間，再加上又沒地方可以坐下的話，是會辛苦得要人命的。

當我還是個新手媽媽時，只因爲抱著孩子餵母奶的這個動作，一個月後，我就向復健科報到了——手腕肌腱發炎韌帶拉傷，必須吃藥做復健。哈，眞沒用！

然後孩子漸漸大了會走路了，但還是有很多機會需要父母抱著。有沒有看過？大大

的父母跟小小的孩子，在路上拉拉扯扯，爭論的就是「我想抱抱而你不肯」的問題。

「父母要小孩自己走，但小孩執意要父母抱」，我從來沒有這方面的困擾。因爲如果我有力氣，而孩子又希望我抱他，我才不會管什麼「訓練孩子獨立」的這個大道理呢。我可以從頭到尾抱著孩子，什麼專家的話我都當多管閒事。

因爲我愛抱孩子，然後孩子要我抱他，這是兩廂情願的事。雙方都很享受的事情，沒什麼好吵的。

姊姊弟弟倆相差兩歲半，也就是說，我的肚子正大大隆起的時候，姊姊還是處在「要人抱」的年紀。大肚子可不可以抱孩子，當然可以。印象中，我們從來沒有因爲「抱」這件事，需要說道理的，直到——

大約姊姊四歲半，弟弟兩歲的時候。有一回我們三個人出門去散步，去程時三個人手牽手，好不愉快。可是等到回程要回家的時候，姊姊弟弟都累了，都要媽媽抱抱，怎麼辦呢？

「弟弟比較小，姊姊你讓他。」這種說辭，十年來我大概只用過一次吧。

「爲了公平，兩個人都不行抱。」我也不會這麼說。因爲通常父母這麼說的時候，心裡多半也都已經因爲孩子的吵鬧，而開始跟孩子賭氣了。

我只記得那一天，他們兩個都累了，都要媽媽抱。也好像是，我已經抱弟弟一會兒了，然後姊姊說她也想要媽媽抱。詳細情節我記不太清楚了，但是我卻清楚得記得——回家的小路上，我蹲下來跟他們說話：「媽媽的手好瘦，（我捏捏自己眞的好瘦好瘦的小手臂），如果手臂瘦過了頭，明天早上起來，媽媽的手臂就還會痛痛的。現在，媽媽沒辦法抱兩個小孩，只抱一個的話，可能還可以忍耐一下……，可是你們兩個都想要媽媽抱抱，怎麼辦呢？」

好像……好像他們還是不肯妥協，然後我就將「手好瘦好瘦的故事」再說一次，一副就是「你們倆不協調出一個答案給媽媽」的話，我們三個人就蹲在小路上——等囉！

最後的結局——我和孩子的相處模式，結局通常都只有一種：和平收場。

我不記得最後是誰讓步了，或是兩個人都願意自己走了，或是輪流一個人抱五分鐘……。反正，最後是，媽媽和孩子，都抱著很愉快的心情回到家裡。

請注意這幾個關鍵字——媽媽和孩子——這是育兒裡很重要的一環。父母和孩子都必須有滿足和快樂，如果只有一方達到這個目標，是很難看到眞正幸福的家庭的。

真心話，沒人聽不懂

寫作的此刻，早已經被我遺忘的記憶，突然又從腦海裡竄了出來——伴隨著的是好甜蜜的感覺，我多麼希望時間可以倒回——當時，我們三個人幾乎每天都出門去散步，不管是去住家附近的小公園或是學校，因爲我們常常走得好遠，回程時，孩子就會想要媽媽抱……

「弟弟抱到那棵大樹下，然後就換我。」姊姊用目測丈量著距離。

「姊姊抱到前面那一家狗店，就該我了。」弟弟也力求公平地一點便宜也不讓對方佔到。媽媽呢？就是那個最認命的人，無怨無悔地抱著，直到我眞的抱不動爲止。

所以，只要媽媽開口說「抱不動了，自己走」的時候，姊姊弟弟，從來不會吵。乖到連「哼」一下都不會有，總是馬上地、自動地從我身上下來。這就叫「互相體諒」。

因爲孩子知道，媽媽如果還有力氣，不會不願意抱他們，所以當媽媽說抱不動的時候，就是媽媽沒有力氣的時候。

跟孩子說道理，有時候，只是將父母心裡的感受，一五一十地說出來而已。不需要任何添油加醋，「媽媽的手好痠；爸爸的頭有一點痛；媽媽現在有重要的事不能聽你說話；爸爸馬上要去上班，遲到不禮貌……」沒有威脅，也沒有欺騙，小孩聽得懂大人的

眞心話。

只要你說的是眞心話，小孩慢慢地，一定聽得懂。你要相信他。

後記：

當孩子小的時候，總是希望要人抱；如果黏著父母的比例過高時，爸媽腦海中總會浮現一種擔心：我會不會養成孩子將來不獨立的個性？我說：父母不要沒事自己嚇自己了。只消一眨眼，那一天就會到來：想抱孩子，你還得看時機看場合看他高興呢！

「如果你再不 XXX，我就不 XXX。」這是最差勁的管教台詞。

爲什麼翻故事書時，不可以太用力？

「你如果這樣翻故事書，等一下書店阿姨就會過來罵你，說你這個小孩怎麼弄壞了他們的東西，然後阿姨就會叫警察來捉你。」

這是最常在書店裡聽到父母管教孩子的用詞。即使最後不是以「警察」收尾，也會是「阿姨會把你趕出去」。經營書店眞是可憐啊！書讓你看也罷，還得當借你棍子的壞人，要不就是叫警察趕人出門的惡霸，這眞不是個孩子們心目中的好形象啊。

小小孩翻書的動作粗枝大葉，是可以理解的，因爲小肌肉的協調性還發展得不夠好。愛書的媽媽，還沒等孩子到書店，在自己家裡，就常常被孩子粗魯的翻書動作，嚇得心驚膽戰了。我覺得在家裡破壞了自己的書，那還好；要是破壞的是書店老闆的書，他的「財產」被你的小孩這樣粗魯地「糟蹋」，會不會心都在滴血啊？

當我帶孩子去逛書店時，如果孩子翻書翻得太用力，尤其是那種「翻一頁就一個摺痕」的翻法，我會先當場幫書店老闆捉狂的。這時道理該怎麼說呢？

「弟弟，你喜不喜歡書店？」小時候和平東路的住家旁，有一家小小的兒童外文書店。我還記得我第一天經過這家書店時，沒有什麼人的晚上七點鐘，站在它大大的玻璃櫥窗前，書店的精緻和書本的美麗，讓我差點感動到流下淚來。

「好喜歡。」我們每天放學幾乎都要去這家書店報到。

「如果有一天你長大了，也開了一家這樣的書店，然後，每天放學時間，都有好多小朋友進來看書，然後——他們翻書的動作，就跟你剛剛不小心的『一頁一個摺痕』一樣，你會不會很傷心？」

這是我和弟弟很久以前的對話。奇怪的是，我用這種方式跟孩子說明爲什麼翻書要小心的道理，已經不是一天兩天的事了，可是他還是會再犯（因爲小肌肉的成熟，也不是一天兩天的事）。我記得最後一次我跟他說的時候——大約是弟弟小一的年紀吧，那天

我和他在書店裡等姊姊放學，他媽媽又發現他「傷害」了別人的財產。等同樣的道理一說完，這一次，我從孩子臉上的表情，可以眞眞實實地感受到——他將媽媽的道理，終於聽到心坎裡了。那也就是，小肌肉成熟的時候到了，從此他翻書的動作，都變得輕輕巧巧了。

給孩子的道理，必須經得起考驗

今年回台灣過暑假的時候，有一天，我們一行人，走進一間住家附近的玩具店。那是一家獨力經營的小店，但是東西卻琳瑯滿目，所以即使沒有要買什麼，我們也常常喜歡去那裡逛逛。那天，大家逛完正要走出店門口時，我身邊讀小二的姪子，一邊走一邊拍打走道靠牆堆放的樂高積木盒子。

「哥哥，不要拍。」我聽到他的爸爸在身後警告他。我猜，這不是他第一次有這個動作了。

走出了店門，我牽著姪子的手，問他：「你知道爲什麼不可以拍這些盒子嗎？」

「不知道。」姪子說得有些驚慌。他是被我的問題嚇到了。所謂「嚇到」，不是因為我的口氣很嚴肅，也不是因為這個問題很困難，而是——從來沒有大人會問小孩這樣「簡單」的問題。

我故意將氣氛弄得輕鬆些，「姑姑不是要考試，你隨便猜猜，好像猜謎語一樣吧，猜對猜錯都沒關係，來，給你三次機會！」

聽到猜謎，孩子一定放鬆了不少。於是他開口說：「因為老闆會罵我。」

「沒有啊，老闆這麼好，她從來沒罵過人，對不對？」我說。姪子想想有道理，因為他爸爸常常將薪水貢獻給老闆買昂貴的遙控汽車。「你還有兩次機會。」

「因為盒子會壞掉。」這是大人常用的理由。

「沒有啊，你看，那盒子那麼堅固，有壞掉嗎？」我說的是實話。

大人拿來管教孩子的理由，常常是經不起考驗的。

如果有一天孩子反問你：「爸爸，如果是金剛不壞的鐵盒子，拍不壞的，就可以拍了嗎？」

姪子的第三次答案還是脫不了大人給他的思維：「以後老闆不給我進去他的店了。」

於是，該我報出我的答案了，我猜，姪子當時一定也很想知道是什麼（你是不是也很想知道）？

「你好喜歡這些玩具對不對？如果有一天你長大了，開了一家跟這個老闆一模一樣的店，」這可能是每個孩子都經歷過的白日夢，「如果每一個客人要離開的時候，都往你的玩具盒子上打一下，你心裡會不會很不舒服？」

可愛的姪子沒有說話，但是，他一定懂了。

或許他沒辦法一次改正他的不良習慣，但是多說幾次，用「設身處地的同理心」跟孩子說道理，他們一定都會聽懂的。孩子天生都是良善的，我不信他們不想當個守規矩的好孩子。

「小孩聽不懂，也學不會」。
如果父母心裡出現這樣的想法，那麼放心，你的想法，一定會實現。

爲什麼奶奶說可以，媽媽卻說不行？

如果家中的大人對教養孩子的觀念不一致，然後大家又我行我素地各自爲政的話，這對孩子可能是一種傷害。

「傷害？有這麼嚴重嗎？媽媽不讓孩子吃糖果，奶奶說可以，小孩只要有糖果吃就好了，哪來的傷害？」乍聽之下有道理的事情，不一定是對的。

讓我們換個立場來說說看：你交了一個要好的男朋友，想結婚了，結果媽媽說這個

對象太矮不好，爸爸說這個家裡有錢不錯，奶奶說人長得不夠體面，爺爺說學歷高就是有前途……全部的人都說是為你設想，但是最後不論是什麼結局，你都無法得到全然的滿足和快樂，因為——你沒有得到最親愛的人的一致支持。

當孩子嘴裡吃著奶奶給的糖果時，也沒有全然的滿足和快樂，因為他很清楚地知道：他最愛的媽媽，滿臉不高興。「因為奶奶說的話，媽媽不敢反抗，所以我才有糖果可吃。」如果你是這個孩子，你可以得到真正的滿足嗎？

當姊姊弟弟小的時候，我沒有這方面的困擾，因為孩子在媽媽的身邊，生活起居由我一手包辦。也就是說，我用什麼方式照顧和教養他們，他們就被那種方式照顧和教養，我全然沒有阻力。不，不是沒有阻力，而是有阻力出現時，有人想阻礙我照顧和教養孩子時，平時很好說話的我，卻變得六親不認了。而正因為我這種六親不認的態度，阻力自然不想自討沒趣，於是都自動消失了。

但是，年輕一輩和老一輩，在觀念上，永遠無法相同。即使表面上我沒遇到長輩教養的阻力，但骨子裡，卻不代表大家都有相同的看法。舉個朋友的例子，讓你感受一下：

「爺爺，不要給他喝可樂了。」朋友制止地說。五年級的小學生有三十吋的腰圍。

「沒關係啦，又不是天天喝，偶爾喝一下沒關係啦。」看看，這就是最簡單的不同。

對於想要好好照顧孩子的媽媽來說，「偶爾」是不容許存在的，因爲好習慣的建立不容易，但是要破壞一個已養成的好習慣，卻是輕而易舉的事。而且我說過，如果你開了一個漏洞給小孩，小孩哪有不鑽的道理呢？「以後要喝可樂，找爺爺準沒錯。」祖父母有辦法拒絕孫子的要求嗎？

大人可以助小孩一臂之力

大約是姊姊弟弟小學低年級的時候，有一天，他們好像發現了新大陸似地問我：「爲什麼爺爺奶奶、外公外婆很喜歡看我們吃東西，而且你說不能吃的，他們怎麼都好像沒關係？」「什麼餅乾糖果啊，只要我們想吃，他們都說好……爲什麼會這樣？」

其實這時候，孩子早已知道垃圾食物和健康食物的區別，

只是他們很納悶：媽媽區分得這麼清楚的生活習慣，但是同一套標準套在老人家身上時，卻好像全都不適用了。「難不成媽媽用的是火星上的標準嗎？」

這是我當時對他們說的話，如有不敬，敬請見諒。

「老人家很愛小孩，有時候會愛到無法控制自己。」我應該沒說錯，連父母都可能，更何況是老人家。

「他們都知道這些是不健康的食物，但是因爲看到你們喜歡，老人家就沒辦法對小孩說『不』了（順便意指：看，媽媽多偉大多厲害，時時刻刻都在說不）。不給你們想吃的東西，老人家自己會很難受的……」

「爲什麼你說不要常吃肉鬆？可是爺爺奶奶卻不管。」孩子的心裡可能也在懷疑：會不會是肉鬆好吃，媽媽要留著自己吃呢？

「因爲，在爺爺奶奶小的時候，根本沒有肉可以吃，所以如果誰家有肉鬆出現，全部小孩的眼睛都會睜得亮亮的；糖果也一樣，當時，糖都是很珍貴的食物，小孩子難得可以吃到一塊糖……」我得盡量以不破壞長輩的形象來作說話的標準。背後說中傷別人的話，是錯誤的教育示範。

「因爲，他們從小對這些食物的印象，都是很好的。於是，他們就覺得讓小孩子吃糖

吃餅乾，是愛他們的具體表現。」我還沒說完，「可是他們沒想到，現代人的飲食習慣已經跟從前不一樣了，垃圾食物隨手可得，所以如果媽媽不管，讓你們用從前的觀念來吃東西，這樣對身體會有很不好的影響……」

看看目前小孩超重的比例有多少，就知道事態有多麼嚴重了——這句話不是說給小孩聽的，是大人。抵抗誘惑不是件容易的事，但是，大人可以助小孩一臂之力。

很多讀者媽媽都問我同一個問題：在照顧和教養孩子上，跟長輩有不同觀念時，要如何溝通？

我的答案都是：教大人太困難，尤其在我們這個以孝爲本的傳統思維裡，有時候「溝通」可能被解讀成「忤逆」；所以，還不如從小孩下手。

當我把小孩教好了，小孩自然會知道「什麼可爲，什麼不可爲」、「什麼時候可以接受，什麼時候該拒絕」，即使長輩在旁邊搖旗吶喊，硬要挑戰孫兒的自制力。

當你看到已經被教好的孩子的定力表現，就是做父母最大的安慰了。

這是五年前，弟弟小一時遇上的「挑戰」，媽媽打從心底佩服他：

「星期五下課，要不要跟爺爺衝去漢堡王。」奶奶半開玩笑半認眞地逗弄著孫子。

看孫子沒接話，繼續追擊：「別管媽媽，放學直接去嘛！敢不敢？」再釋出激將法。

我在一旁聽得有些於心不忍，他要怎麼拒絕但又不失面子呢？

「我敢啊！只是，我不想要——」

後記：

實情是，小孩當然想吃漢堡薯條啊。

孩子為什麼拒絕？除了家規不能違背外，他的說法令我動容。

因為他大可將為難的答案推給別人，「媽媽不准」。

甚至還可以捉住大人間的矛盾說，「我好喜歡吃漢堡喔！可是媽媽都說不行。」看看可否乘機撈到什麼好處。

他不只沒有，你發現了嗎？——他可能還怕自己破壞了媽媽和長輩之間的感情哪！

當孩子對你的道理提出疑問時，不要急著解釋或辯解。尤其是我們也被說服時，「你說的好像有道理，媽媽想想」也是緩兵之計。

爲什麼每天要吃維他命？

我沒有要爲維他命宣傳的意思。好友小妹根本不相信維他命的功用，從來不吃，只要飲食正常健康，沒人敢說她不對。

從姊姊弟弟可以吃兒童維他命開始，我們就從來沒有間斷過。我爲什麼要給孩子吃維他命呢？其實是爲了媽媽自己好。因爲我認爲，多了一層維他命的保護，孩子生病的機率就比較小；如果孩子生病了，最痛苦的不是孩子，而是媽媽；所以爲了讓我自己日

子過得幸福，我就給孩子吃維他命。

剛開始，小孩很喜歡吃維他命，因爲設計給孩子吃的，都是可以當糖果咬的口味，所以不構成孩子的困擾（可能有些父母還將兒童維他命當成獎品給孩子呢，我沒這樣做過）。終於有一天，孩子吃膩了，他們問我：「媽媽，爲什麼每天都要吃維他命？」

其實可以咀嚼的維他命，還是不好吃的，還是有一股藥味，只是小小孩沒發覺，漸漸長大後，他們的味覺靈敏了，就知道了。

我不會拿什麼冠冕堂皇的理由來搪塞孩子，我都是直接告訴他們：「維他命不是非吃不可的東西。不過，它可能會讓你的抵抗力比較好，什麼叫抵抗力比較好呢？」

我跟孩子說道理，從來不會說一半——

「其實，空氣中，一直都存在著各種會讓人生病的細菌和病毒。不過很奇怪，例如，有一天某一種病毒進入了甲身體裡，使甲生了病；但是同樣的病毒進入到乙身體裡，乙卻沒有生病，這是什麼原因呢？那是因爲，病毒一進入乙的體內，乙肚子裡的『小天使』，就將病毒打敗了，所以你沒看到乙生病，這就叫做抵抗力。

「決定一個人抵抗力的原因有很多啦，例如吃的食物要健康、睡眠要充足、常常運動、多喝水……，吃維他命只是其中的一種方法。

「小乖，你還記得上次生病的感覺嗎？如果生病了，大家都不能出去玩，這樣日子就

很可惜地浪費了……」

這些道理都是非常簡單的基本常識，即使我們覺得好像不需要說，孩子應該已經知道了，但只要姊姊弟弟願意聽我說話，我就可以拿出最大的耐心慢慢地說。

當父母預備要用「好好說道理」的方式來教養小孩時，必須先對自己做個心理建設。所謂心理建設，通常都是原本自己不太相信的事（不然，如果已經有了，幹嘛建設呢？）——

第一，父母不要低估小孩對事情的理解能力。即使是還不會說話的孩子，例如八個月大好了，他們能不能聽懂你說的一些話呢？百分之一百當然可以。因爲，當你面對不同年紀的孩子，你本能地就會用他們聽得懂的語句來說話，誰會用「阿彌陀佛」的高深態度對著小小孩呢！所以記著：只要你敢對著孩子說話，他們就一定聽得懂。即使不是百分之一百懂也不要緊，聽久了，自然會越來越懂。

第二，父母也不要低估小孩「想要了解各種事情來龍去脈」的需要程度。不要用大人的邏輯來想小孩的世界。你知道，爲什麼小孩犯了法，法律處罰的是大人呢？就是因爲小孩還不夠成熟，不了解每一件事情的嚴重性。所以父母必須開口去教導孩子，不然，難不成「知識是從天上掉下來的」嗎？

說道理給孩子聽，還可能發生一種情形，那就是：他們了解了道理，但是心裡不一定會接受。

最近，國一的姊姊對每天早上要吃一顆維他命，出現了些微痛苦和不甘願的表情。

於是，媽媽認爲：讓孩子自己決定要不要吃維他命的時候到了。

「姊姊，媽媽看你好像很不喜歡吃維他命，我們要不要以後都不要吃了？」

姊姊想了想，說：「我不喜歡早上吃，改成下午吃好了。」

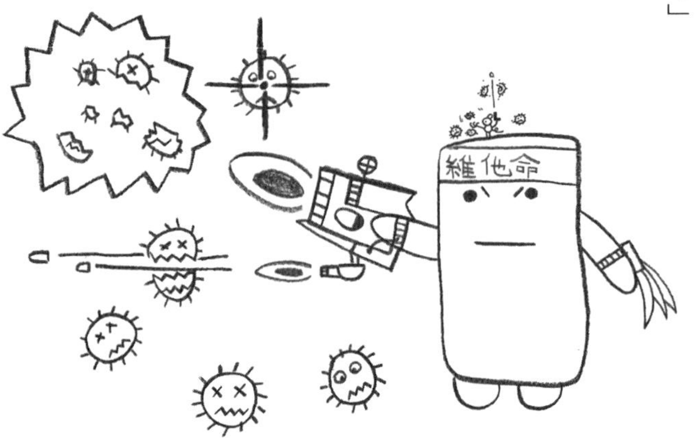

孩子在一開始，是多麼喜歡聽大人說話啊！哪怕我們要說的是「道理」。可是父母要把握時間說，搶在孩子出現問題前就說足、說夠，才叫未雨綢繆。

為什麼我不可以一直包著尿布？

當孩子長大到一定的年齡，父母就會希望孩子自己練習用小馬桶上廁所了。到底是什麼年齡呢？我寧可說，到時你用父母的直覺就會知道了。不需要太擔心。

有沒有發現到一件事：現在的父母，喜歡將水到渠成的小事，當成上太空的大事來處理。這種不分輕重緩急的教養方式，很容易讓自己陷入忙得身心俱疲，卻還是一團亂的局面。你有看過小孩超過了一定的年齡還包著尿布的？沒有吧。孩子自然而然能夠學

會的事，我們就要順其自然。

當我開始要孩子練習用小馬桶上廁所的時候，我也跟大多數的新手媽媽一樣，去買了一本跟上廁所有關的故事書。還記得那是一本簡易的立體書，好像拉一拉書側的紙片，馬桶蓋就會自動打開，諸如此類的設計；小孩喜不喜歡我不知道，只記得媽媽自己玩得蠻高興的。

那是一個不冷的季節，我開始跟孩子說「爲什麼不要再穿尿布」的道理，他可能只有兩歲出頭——

「你這麼大了還穿尿布，羞羞臉。」

拜託啊，這種不入流的說辭，千萬不要再拿出來使用了，會被人笑的。那表示你還活在「貶損孩子的自尊心，以刺激其上進」的時代裡。諸如此類的說法，只會顯示大人的頭腦太因循苟且了。可能還是高學歷的父母呢，我們就不能拿出準備大學聯考時百分之一的聰明才智來跟孩子說話嗎？——

「穿尿布很不舒服，尤其是在這麼熱的天氣裡，屁股悶悶濕濕的。寶貝，是不是好難受啊？」

「如果你換上這件小褲子，」請把實物拿出來展示一下，不要偷懶；甚至可以帶孩子

一起去買一件花色是他喜歡的小內褲，「好透氣好涼快啊！」可能小孩就不知所以地穿上了。不過，父母還需要事先告訴小小孩一些之後可能會遇上的狀況，讓孩子心裡先有準備。

「當你覺得想尿尿的時候，就快來叫媽媽，或是一邊跑到廁所去，一邊叫媽媽，然後，媽媽會幫忙你尿在小馬桶裡。」

可是不要懷疑，一開始，孩子還是會尿在褲子上，流得滿地都是，所以我還會對孩子作個補充說明，讓到時的狀況不會太尷尬：

「如果來不及，尿濕褲子了，沒關係，叫媽媽就好。媽媽會幫你的忙。」我們還可以解釋，什麼是膀胱？什麼是它的功能？小孩子是因爲還不熟練如何控制膀胱的功能，才會尿褲子等等。

孩子需要心理準備，父母更需要

育兒是一條長路，解決了這件事情後，一定還會有下一件事情接著來。父母對可能發生在小孩身上的任何問題，即使還看不到，都要有面對它的心理準備。我想，隨時發火爆脾氣的父母，就是沒準備好。如果你心裡對孩子的教養問題，早有打算要「兵來將

擋、水來土掩」的話，又怎麼會發火呢？

學步兒，剛開始，一定會尿濕褲子的。「一褲子和一地板的濕答答」，孩子的表情可能還有些不好意思，這時候，孩子需要的是安慰——不是取笑。

「沒關係，我們去洗一洗，換一件乾淨的褲子就好。」下面的話語，請一定要帶到，那是一種安慰和關懷的語言：「小孩子在剛開始練習不穿尿布的時候，都一定會尿濕褲子的，爸爸小時候也是這樣。」拿孩子最心愛的人出來舉例，是最好的安慰方式。

多給孩子練習的機會，什麼威脅利誘都不需要，什麼壓力和期限也都不要給孩子。也不要給自己。我們心裡只要記得那句話：有人會包尿布包一輩子嗎？那是天底下最不舒服的事，沒有孩子會呆到在可以不穿尿布的時候卻還執意要穿著它的。

每回聽到讀者媽媽爲這類的小事煩惱時，我都會這樣說：如果你讓孩子練習不穿尿布，已經練習到大人的心情都有些煩躁了（大人，我說的是大人，通常小孩是不會煩躁的），怎麼辦？這時候，絕不是你該去想更多的辦法來逼迫孩子的好時機，這時你可以作的一項選擇是——放棄。

不會吧！放棄？

我知道有人的下巴可能快要掉到地上了。人哪，只要聽到「放棄」這兩個字，就好像是什麼天打雷劈的大事一樣。但是我的育兒經驗卻告訴我：父母哪，該放棄的時候，

就要放棄。執著的結果，不見得都是好的。因爲有可能你的想法，根本不適用於你的孩子。

媽媽已經心煩氣躁了，如果還不放棄，最後受害的一定是孩子。

一直練習不成功，那表示時機還不成熟，可以休息三個月，以後再來試一回。讓媽媽喘口氣，也讓孩子喘口氣。小小孩，隨時隨地都在長大，將事情先暫緩，然後再找更適當的時機練習，時候到了就會成功，這並沒有什麼對與錯。

等到孩子大到可以讓他試試坐大馬桶的時候，他們常常是尿不出來的。「沒關係，坐一下，讓屁股跟馬桶變成好朋友，你坐一下不要下來，媽媽唸本故事書給你聽……」所以我們家的馬桶，都要刷得跟碗一樣亮晶晶，因爲媽媽需要貼著馬桶唸故事書給孩子聽。

我還記得，在我的孩子進入即將完全脫離尿布的階段時，大約有一個月的時間，孩子想要大號的時候，因爲他還沒「成功地」在馬桶上「嗯」過，所以孩子都會要求我幫

他穿上尿布，然後像小狗一樣，躲到牆角或房門後去「上大號」。這些也可能是你的孩子會經歷的過程。

姊姊和弟弟在媽媽的「寵愛」下，好像都穿過ＸＬ的尿布。孩子學習或成長的「早或晚」，與父母的成就完全無關。也就是說，不是孩子越早脫離尿布，父母就越成功。希望孩子提早些時候練習不穿尿布，說穿了，是因爲穿尿布不舒服；因爲你愛他，所以希望他早日有舒服的日子可過。

而這與孩子將來的性格獨不獨立，更是沒有關聯，父母千萬不要聯想得太多。父母願意給孩子更大的包容和理解，才會使孩子更容易邁向獨立且自主的人生。

不要嫌棄躁動不安的孩子，有時候他們只是無奈地被大人放進了不適合的場合裡。例如喜宴、演講、逛街。

爲什麼不要用哭來表達事情？

不論你生的是什麼樣的孩子？他們一定經歷過用「哭」來表達事情的階段。

有人說，訓練嬰兒可以一覺到天亮的方法，就是在晚上睡覺時嬰兒哭的時候不要理他；小嬰兒第一天可能哭上四十分鐘，但只要不理他，嬰兒第二天自動會減少哭的時間，然後每日遞減，沒多久就可以一覺到天明了。

當我看到這種理論時，其實心裡好生羨慕：因爲要我看著嬰兒哭三分鐘我就受不了

了，哇哇哇哇地哭上四十分鐘，對我來說，那眞是天方夜譚的不可能。我可能做不到。（沒關係，十幾年後，我可以拿孩子的孩子來試試看，因爲我眞的很好奇這種理論在我身上施行的可行性。）

剛開始，我們會緊張於孩子的哭聲，等到孩子長大到可以說話的時候，大概沒有父母會喜歡看到孩子繼續用「哭」來表達事情。爲什麼不要用哭來表達事情呢？

首先，我們得先等孩子哭完，然後，再來說道理。這時候，他們通常已經坐在我們的腿上了，而我們通常也是用雙手環抱的姿勢擁著孩子了。道理是這樣說的：

「媽媽知道你剛剛不是故意要哭這麼大聲的。因爲你忍不住，對不對？」

叫孩子閉嘴不准哭的父母，眞的很殘忍。如果是你自己悲從中來的時候，先生不只不安慰你，還大叫要你閉嘴，這種先生是不是値得你離家出走？

「寶貝，你知道爲什麼有事想跟媽媽說，一定要用嘴巴講，不能用哭的呢？

「如果你下次跟媽媽說你要出去散步，可是媽媽因爲肚子痛不能帶你去，然後我不跟你說我肚子痛，卻開始哇哇大哭……，或者你問爸爸、奶奶、爺爺，你問全部的人事情的時候，大家都用哭來回答你，這樣的生活是不是會變得很亂很亂呢？

「你心裡有話想說，可以慢慢地跟媽媽說，跟媽媽討論討論，例如你晚飯前想要吃餅乾，媽媽說不行，但是你不哭，好好說話，說不定我們還可以討論出晚飯後再來吃的方

法啊……可是你一哭，哦哦，沒有人知道你要吃餅乾，可能以爲你是肚子痛不想吃餅乾了，這樣不是更糟糕了嗎？」

我話鋒一轉，以下的這段話，請父母背起來，務必要說給孩子聽：

「哭，有沒有讓你吃到了餅乾？

「沒有，從來沒有。

「但是，不哭，好好說，也不一定有餅乾可以吃。

「因爲如果是不對的事情，例如你想要拿走別人的玩具，你哭，拿不到，你不哭，媽媽就可以給你了嗎？還是不行呀！

「不行做的事情，不行就是不行。無論你是哭或是不哭，都還是不行。」

老實說，以上的說法，印象中我沒有跟姊姊或弟弟說過，因爲我都是以行動告訴孩子——「想用『亂哭』來達到目的，在這個媽媽身上是行不通的。」只要父母堅持立場，孩子是不會浪費力氣來演哭戲給你看的。

所以當孩子不想浪費力氣的時候，也就等於節省了父母的力氣。因爲光是「看」著孩子哭，對父母來說，就是一件很傷神的事了。你可能會覺得，我在說教養孩子時，說得相當輕鬆，施行的時候，態度也應該依然優雅（相信我，我絕對沒有）。其實，當孩子

哭起來，然後我又得堅定立場，我所花的忍耐力，可能會憋死我五百萬個細胞啊！

總以哭來達到目的的孩子，問題不在孩子，而是在父母的堅持力夠不夠。

為了教養孩子？還是為了自己？

父母爲什麼不喜歡孩子「哭」？其實不是因爲父母討厭孩子的哭聲；而是因爲父母希望透過道理，教會孩子如何用最省力氣的方式，來與人溝通。

有沒有發現一件事：在管教孩子的過程裡，到底父母是爲了自己，還是爲了孩子？這是一件父母必須先釐清的事。自己不妨先想想：到底有多少時候，我們根本是爲了我們自己的好處，才會這樣管教孩子的？

我有嗎？好，我們來瞧瞧：

「你乖乖地安靜看電視，不要吵。」——替自己找到了安靜的時間。

「你動作這麼慢，鞋子我幫你穿。」——替自己節省了時

間。

「不要爬上爬下、不要動來動去，好不好？」——替自己節省了力氣。

「我女兒的成績一級棒，我就是要讓她爺爺知道，女生一樣可以有出息。」——替自己沒能生個男孩子爭口氣。

「我要你學畫畫、學鋼琴，反正別的孩子有的，我就不能少。」——替自己爭取到了在親戚朋友間的面子。

「任何有一點點危險的行爲，我都不讓孩子嘗試。」——撫慰了自己的擔心。

將孩子痛罵一頓，很多時候，只是因爲自己的壓力沒有宣泄的出口，就藉著罵孩子來替自己減壓。再補充最後一項：打孩子的父母，很多時候，只是當下氣憤難消，然後藉打孩子來替自己出氣而已。

改變，從父母開始。虛心受教，是父母的當務之急。

不要寄望在孩子身上求得立竿見影的效果。孩子良好的習慣和行為模式，是靠父母努力幫忙培養而來的。

爲什麼我們不買便利商店裡的玩具？

這大概是孩子讀小學以後，我才跟他們定下的規矩。爲什麼之前不需要呢？因爲從這時候開始，他們有了自己的零用錢。自己的零用錢，不是愛買什麼就可以買什麼嗎？現在父母爲了尊重孩子的自尊心，頭腦有時候都不太清楚了耶。「可以拿自己的錢去買毒品嗎？」我說的或許太誇張了，好，「可以拿自己的錢，每天去吃麥當勞嗎？」所以，即使是孩子自己的錢，父母還是有規範它的權力和空間。

孩子漸漸大了，就會有機會跟父母進出住家附近的便利商店，媽媽可能臨時需要去買條吐司或買瓶牛奶，不過每次都會發現，孩子對店裡的玩具目不轉睛。

「那飲料和零食呢？」你可能會問，「他們會不會吵著要買呢？」

我們家的姊姊和弟弟，完全不會。因爲在孩子小的時候，我從沒在孩子面前，到便利商店買過任何零食和飲料，應該是一次也沒有（如果大人想吃，偷偷買）——呵呵，從一開始就以身作則斷了孩子的念頭，一勞永逸。這樣父母和孩子雙方，都可以過著平靜而和諧的日子。

玩具，不是不可以買。如果是孩子自己存的零用錢，更有可以買的空間。但是，爲什麼不能買便利商店裡的呢？這裡面有個需要父母助孩子一臂之力的原因：

因爲當孩子口袋裡有了錢，很多時候，他是很難阻擋眼前的玩具對他產生的誘惑的。便利商店，因爲有便利之利，所以與孩子接觸的機會也最多。當初定下這條規矩的原因，就是怕孩子好不容易存下的錢，可能因爲抵擋不住出現在眼前晃啊晃的玩具，而功虧一簣。可能原本心裡早已有了打算已久的購買目標，或是有了再多存一些就可以買下的夢寐以求的東西，現在都買不成了。所以大人必須讓孩子有「學習忍耐」的機會。

「媽媽，我不是存了八十元嗎？這個鐵金剛只要七十元呢。」便利商店的一隅，孩子

的言下之意就是，「我想買」。
「可是你不是想存到一百元後，去買那個你看了很久的立體拼圖嗎？」
「沒關係，我不買拼圖了，我想先買這個。」媽媽明明知道孩子轉眼就會後悔，但又無可奈何。
於是，我定下了「不可以到便利商店買玩具」的規定。我給孩子的理由是：第一，那不是設計給小孩買玩具的地方。第二，那裡的玩具，比玩具店裡的貴。而且還不耐用，孩子試過幾次也知道。
「媽媽，爲什麼便利商店裡的玩具比較貴呢？」其實我說它貴並不是很公平。我必須讓孩子了解其中的道理：因爲它給了你「便利」，你就必須付出更多的金錢代價。「因爲便利商店的租金，比偏遠地區的大賣場，要來的貴上很多啊，所以老闆必須將租金平均分散到每個商品上面。如果老闆不賣貴一點，怎麼賺錢養家呢？」
「媽媽知道，那是你們好不容易才存到的錢，要買，也要

到專業的玩具店裡去買；同樣的玩具，玩具店裡也都有，而且品質有保障，價格又公道。」

雖然這是媽媽的家規之一，但是我也要告訴孩子此條家規的成因。培養孩子的忍耐力和自制力，是媽媽教養孩子裡的最大信條，所以就從「不在便利商店裡買玩具」開始做起囉！

後記：

「因為當孩子口袋裡有了錢，很多時候，他是很難阻擋眼前的玩具對他產生的誘惑的。」等不到媽媽唸完整段話，弟弟就搶著說：

「我現在可以。」

孩子總是想把握任何機會對父母宣誓：他已經長大了。

當孩子犯下大錯的時候，如果他已經知道錯了，我傾向無條件地原諒孩子。「如果你保證下次不再犯，爸媽就原諒你這一次。」這叫原諒，但是不叫無條件。

爲什麼做人不該說謊？

這是個很難說明的道理，因爲我不知道大人說謊的比率，是不是比小孩低？所以由大人來跟小孩說這個道理，我會有汗顏的感覺。但是，小孩不能不教，即使是黑幫老大，可能都想教出忠孝節義的孩子。

「人，不能說謊話」這個道理，要怎麼說，小孩才會聽得懂呢？

「民無信不立」，孔子說過的話，很有道理，但是小孩子不容易聽得懂。

我還記得那一天，一大清早，媽媽帶著小三的姊姊和小一的弟弟，並肩走在上學途中的人行道上，突然我心血來潮，就將最新發生的國際大八卦，搬上了媽媽跟孩子說道理的檯面上：

「你們知道爲什麼做人要誠實，不可以說謊嗎？」

這個問題一定會讓小孩子措手不及，因爲「不可以說謊」就是「不可以說謊」，哪有什麼爲什麼呢？所以孩子當下一定是充滿了懷疑和納悶：「我倒要看看，我媽媽對這種大哉問，可以變出什麼樣的道理來？」於是我開口了——

你們知道美國總統吧，「柯林頓」，對，他最近面臨了當總統以來，最大的危機。「爲什麼？」因爲他說謊。「他說了什麼謊？」人家問他你有沒有做？他有做，但是他卻說沒有。「他做了什麼？」

八卦新聞能說給孩子聽嗎？我瘋了才會這麼做。我說，他做了什麼事，媽媽不能說。「什麼事不能說？」媽媽說不能說，就是不能說，這表示那不是一件你們這個年齡可以聽到的故事。

媽媽繼續說：「但是我可以舉例告訴你們：柯林頓，有一天在自己家的花園裡，看他的狗很不順眼，就對他的狗踢了一腳。」因爲姊弟倆都很愛貓狗這類的小動物，所以這屬於孩子觀念裡的重大犯罪情節。「剛好，這時候有個記者不小心拍到了總統踢狗的畫

面，第二天記者就去訪問總統（我做出拿麥克風的姿勢，對著孩子作訪問，他們很害怕地跳開，好像自己就是柯林頓似的，也想逃避事實）：

「請問總統先生，你昨天有沒有踢狗？」你知道孩子這時候笑得有多高興嗎？這種笑就叫作幸災樂禍。

「如果柯林頓一口就承認，不說謊，那麼，他沒事。

「如果柯林頓因爲不想別人發現他的人品不好，堂堂一國之君，竟然做出踢自己小狗這麼粗魯的動作，然後說沒有，哦哦，他就完蛋了。」

小孩眞的露出了不解的表情，「我在我家踢我的狗，只要說謊不承認，別人又不知道，爲什麼會完蛋呢？」

「如果柯林頓承認了他踢狗，新聞頂多一天，而且在報紙上一小方塊的就過去了。可是，如果他不承認，第二天報紙的頭版，將會出現一個大大的標題：總統說謊。」媽媽繼續說——

「光是『說謊』這件事，就足以讓一個總統下台了。」

「爲什麼？」當時孩子完全不了解的驚訝神情仍歷歷在目。

我們都習慣告訴孩子「誠實很重要」，但是我們卻不習慣花時間跟孩子解釋「爲什麼」。

「因爲，他如果是一個會說謊的人，代表他從前說的話，可能都是假的，例如他可能答應人民要造橋鋪路蓋醫院，最後卻將錢放進自己的口袋裡。而且，他以後說的話，也可能是假的。你可以容忍一個說假話的人，當我們國家的總統嗎？」

我怎麼突然覺得這番話，好像父母也需要聽呢——父母也不可以跟孩子說假話。欺騙孩子，這是預支自己將來信用的行爲。

「騙得了一時，騙不了一世」，這句話大人小孩都適用。

孩子不是沒有話要跟父母說，而是常常才看到父母的表情，他們就自動閉嘴了。

爲什麼要準時去睡覺？

怎麼辦？這個道理由大人來說給小孩聽，好像也有些汗顏呢？準時去睡覺的大人，屈指可數。大人的不睡覺，都是不得已的，因爲在認眞工作嘛。別騙小孩子了吧！

還好，到目前爲止，姊弟倆都還沒拿「爲什麼大人都可以晚睡」這問題來挑戰我們。不過到時，爲了以身作則，我可能眞的會九點就跳上床呢！

小孩子不愛睡覺，好像是全天下孩子的天性，因爲他們想要繼續玩。從小小年紀開

始，就是這樣。弟弟還是小小的時候，有一天媽媽要關燈睡覺了，他語重心長地說：「要是人不需要睡覺，那該有多好！」我知道，他不是討厭睡覺，而是捨不得睡覺奪走了他可以繼續玩的時間。

爲什麼父母都希望孩子準時上床睡覺呢？通常我們都沒有好好想想這個問題，聽聽自己內心的想法，所以開口叫孩子去睡覺時，時常會上演大呼小叫，甚至氣急敗壞的罵人戲碼——

「我不是說要睡覺了嗎？爲什麼摸摸拉拉這麼久還沒上床？」

「幾點鐘了，不要再玩了，再不睡覺，星期六的電影就取消不能看。」

「這是我最後一次通牒，要關燈睡覺了，我要生氣了。」

其實，這些都是我說過的話。但是有一天我突然發現：爲什麼父母說的話，跟心裡眞正的想法，差這麼遠呢？所以我特地將內心的感受搬出來，好好地跟孩子說「爲什麼媽媽那麼希望你們準時睡覺」的原因。

「因爲，小孩子需要足夠的睡眠，有足夠的睡眠才能健康長大，」於是我屈指算給他們聽，「醫生說你們要睡十個小時才健康，九點睡，七點起床，剛好十個小時。」

「可是你們常常摸摸拉拉到十點才睡。」（我知道，十點在台灣父母的標準裡，算是

早的了。而在美國，小朋友七、八點就睡覺了，九點算是晚的了。）這時我話鋒一轉，老老實實地說出了媽媽的感受：

「每次你們晚睡，媽媽心裡都好不舒服。」怎麼不舒服了？小孩一定納悶。

「因爲我隔天早上叫你們起床時，就會發現你們沒睡飽，然後我就會想到你們要上一整天的課。上課是一件需要花很多力氣和頭腦的事，當媽媽想到他最愛的寶貝，因爲沒睡飽，一整天都沒力氣時，」這裡請做出西施捧心的哀怨姿勢，「一想到我的小寶貝會不舒服，媽媽也就不舒服了。嗚嗚嗚……」我夠格去寫連續劇的台詞吧。

直到現在，孩子每天的上床時間，我還是要督促和提醒，有時也還是少不了大呼小叫的「趕鴨子上架」的情節。但是千萬不要罵孩子，用這一句話代替吧——「早點睡覺比較健康，不然——媽媽明天叫你們起床時，心裡會很難過，因爲媽媽好愛你們啊！」

每位父母都想和自己的孩子建立穩固的感情，
但是如果你每天和孩子說的話不到十句，感情是要怎麼穩固呢？

爲什麼小孩要上學？

現代的父母有許多掙扎。看著在幼稚園門口哭得死去活來，怎麼也不肯離開媽媽的孩子，老師會說：「媽媽你快點走！」然後揮手趕你，「等一下就好了。」

父母永遠都會擔心，孩子是不是眞的等一下就好了呢？

聽朋友說過她孩子的情形，每天早上一醒來就開始哭，因爲想到等會兒又要去學校了，根本等不及到校門口才哭。也聽過連續哭一個學期都不肯放棄上演哭戲的孩子。小

小的、可愛的孩子，都是爸媽的寶貝哪，遭遇這種情況，如果父母也有權力放聲大哭，可能要比孩子哭得還要大聲呢！

我運氣很好，幼稚園中班開始上學的姊姊和弟弟，一進學校，馬上適應。沒有在這方面給媽媽任何痛苦的經歷。也或許他們知道，他們只要一哭，我一定會說：「明天不用去了。」甚至不用等到「哭」的程度，只要孩子表示不想去上學，我可能就會帶他們回家了。因爲我從來就不覺得，學校是一個非去不可的地方，尤其對小小孩來說，跟著媽媽，一樣可以學到他們該學的東西。

但是我也能體會，很多雙薪的小家庭，「送小小孩去上學」是不得已的選擇。如果遇上這樣的情況，還記得一開始我跟姊姊說過的話嗎？在臨上班的家門口，我反覆地跟一歲半的姊姊，說著「爸爸媽媽爲什麼一定要去上班的道理」。同理可證，一歲半的孩子都能聽懂這些道理，兩歲、三歲、四歲的孩子，你也可以將自己內心的話，一五一十地說給孩子聽——場景是這樣的：先幫自己預備多一點的時間，到達幼稚園門口的

你和孩子，請父母蹲下來看著孩子的眼睛說話：

「爸爸媽媽每天都要去上班，上班賺錢，才能買你最愛吃的麵包，你在學校跟老師和同學們玩，現在天亮亮的，等到天黑黑的時候，爸爸媽媽一定會回來，而且會帶你最喜歡吃的麵包回來。」「爸爸媽媽現在去上班，好不好？」

不好，於是你再說：

「寶貝，爸爸媽媽一定要去上班的，因爲老闆在公司等我們，如果我們沒去，老闆會很傷心，而且沒去上班，沒賺到錢，就沒辦法買麵包了。」「你看，現在天亮亮的，等到天黑黑的時候，爸爸媽媽一定會回來，而且一定會帶你最喜歡吃的麵包回來。」「爸爸媽媽現在去上班，好不好？」

其實，你知道嗎？我只是將之前的原文照抄過來而已哪。而且更有趣的是，到我寫作的此刻，我才發現，原來這些道理根本是相同的呢。酷！

然而，你可以說的「台詞」可以比我更多：爸爸媽媽一定要去上班，如果你不去上學，你喜歡一個人待在家裡嗎？別人家可能有爺爺奶奶幫我們照顧你，可是我們家沒有，因爲他們住得太遠了，而且他們已經老了，照顧小孩的工作很辛苦……（故事可以無限延伸，也可以在前一天晚上就先說）。

「寶貝你哭哭，媽媽心裡也好難過，可是媽媽沒有辦法帶你去上班，因爲小孩規定是

要留在學校裡的。」我忍不住又想多補充一些台詞給你——

「我的老闆也不讓我帶小孩去辦公室啊，如果，大家都帶小孩去上班，然後每個小孩都喊我要喝水、我要尿尿、我要大便、我要吃餅乾……」請記得發揮一下父母的表演天分，「那老闆不是要昏倒了嗎？」

不要忘了最後的一問：「爸爸媽媽去上班了，天一黑就來接你，然後會帶來你最愛吃的麵包，好不好？」

希望你說到第三次時，也能像我一樣運氣好，孩子會點點頭，然後讓你安心離去。

不要說「不可能」，沒有試試看以前，不要先說否定句。只要你相信它會成功，它就一定會成功。獻上我最誠摯的祝福。

後記：

弟弟發燒沒去上學，晃啊晃的來到媽媽身邊，於是我隨口唸了這一篇給孩子聽，聽到「我要尿尿、我要大便、我要吃餅乾」時，他笑到眼淚都流出來了。我真懷疑，孩子要到什麼年齡，才會對這種字眼沒反應。

孩子的價值觀和人格養成，不是與生俱來的。你放心留給時間來決定嗎？

爲什麼要叫小孩收玩具？

還記得讀者開頭寫給我的那一封信嗎？我是故意拖到現在才回覆的，用意是希望給父母多一些思考的空間。

親愛的惟惟媽咪，你好：

只要看到這封信，任誰都曉得你已經稱得上是個好父母了。因爲隨時觀察和關心孩

子，注意他們人格養成上的變化，就是做個好父母的第一要件。

我不大會指出孩子的錯誤，因爲在我的教養理念裡，孩子的錯誤行爲，都是被大人的「壞習慣」養出來的。

我將原文照抄一次，但是特意加了粗體字和註解號碼，希望讓你明瞭，從我的角度，看到了什麼大家沒注意到的地方。

> 因爲受你的影響，我決定孩子在犯錯後，絕不打他。也因此參考了你的一個方法，如果他犯錯的話，便帶他去「房間隔離」。
>
> 「你現在這樣是不對的行爲，我要帶你去面壁思過。」進去後，我會將他帶到房間的一面牆前，跟他說剛才那樣亂丟東西是不對的，「你要好好想想，哪裡做錯了。」然後就不再跟他說話。
>
> **是現在的孩子都很聰明吧，過一下子，他就會跑過來跟我說：「媽媽，下次我不會再那樣了。」**[1]然後我就跟他說：「**好，那打勾勾、蓋印章，約定好要做到喔！**」[2]然後我們就很高興地走出了房間。
>
> 只是不知道是我的孩子太皮，還是我這個方法太常用了，因爲如果他又犯

錯，例如破壞玩具，我會很嚴厲地說：「這樣不行喔。」如果他不聽，我就會說：**「你是不是想去面壁思過？」**3

甚至，現在他兩歲八個月了，一不順他的意思，或是我跟他說這樣不行喔……**他馬上就用哭來抗議。**7

上個星期開始，竟然是躺在地上耍賴。

有一天我下班回到家，發現我兒子躺在地上哭。原來是他跟奶奶說想要吃糖，**奶奶對他說：「你先把牛奶喝完再吃糖糖。」**4但他說要先拿著糖，就依了他，然後泡了牛奶給他喝，他卻又說不喝了，一定要先吃糖。最後就躺在地上哭，要賴起來。

以前他不會這樣，即使先答應讓他把糖拿在手上，也會先將我們要求他的事做好，才吃。5

最近要求他收拾他亂丟一地的玩具跟故事書時，他會說：「我好累喔。」不然就是說：「我還要玩。」然後就不理我走出去，完全不想收。

我還是會把他帶回來，甚至是強迫抱他進來，到他弄亂的地方，然後一直跟他說：「好亂喔，我們一起來收吧。」或是說：**「你亂丟書和玩具，它們會離家出走，不想住我們家喔。以後你會沒有玩具玩喔。」**6

只是這樣似乎也沒有很大的效果，我還是一直一直、不斷不斷地跟他說：「你自己弄亂的，或是玩過的，要自己收。」這中間，**他還會不停地問我為什麼要收，我還要一直不斷地跟他解釋，他才會勉強地跟我一起收玩具。8**

我注意到的問題和意見如下：

1 請問隔離多久？不是初犯的情況下，每次必須加重隔離的時間，事先跟孩子說清楚這個規則。隔離不是讓孩子逃避處罰的方法，如果孩子的態度讓父母覺得——明顯的不對勁——那麼父母隔離孩子的時間，也必須要「明顯的」讓孩子覺得不方便。也就是給孩子一個警告：下次再犯，我被隔離的時間，會久到讓我自己覺得很不舒服。而且從頭到尾，父母臉上只有一號表情，那就是嚴肅的「茲事體大」，不用在這個時候跟孩子裝和藹。

2 這種玩遊戲時才會出現的用語，管教孩子的時候，千萬不要用。打勾勾、蓋印章，這是孩子乖的時候，表示親密的話語。而且我壓根地打心底相信孩子，我從來不會跟孩子要任何口頭上的保證。跟孩子要保證，只會顯示父母對孩子的信心不夠。

3 唉呀呀，這種消極的作法，不要用。父母爲什麼習慣這麼說呢？很簡單，因爲實際上我們根本沒時間也沒耐心帶孩子去房間說道理；如果這種威脅的方式可以奏效的話，父母就省了不少事。唉，孩子早看準了我們這些弱點，所以才會一再挑戰父母的耐心。一旦你發現孩子不服管教，就要馬上執行下一個動作，不要遲疑——帶回房間，不必給孩子任何警告。

當你開口說「面壁思過」這幾個字時，就是要行動的時候。如果你當下沒準備要行動的話，就不要說。因爲父母「光說不練」的警告說太多，久而久之，都會被孩子歸類爲「耳邊風」。

我們必須建立「一言既出駟馬難追」的父母威信。

4 這是利誘，根本不可以用。孩子身邊的大人，統統不可以用。

5 這種「條件說」的教育方式，從頭到尾都不能使用。不能因爲大人想求得自己的方便，或節省自己的時間，而使用它。

6你有沒有發現？管教孩子的時候，你說話都一直出現語助詞，「哦、吧、喔」。平常說話可能無傷大雅，但是管教孩子的時候，不要用。這些語助詞會讓孩子知道，你對自己沒信心。

當父母對自己所說的話或是所下的管教指令，都無法有信心時，如何能讓小孩信服呢？

7你知道孩子爲什麼哭嗎？這叫先下手爲強。「我先哭，看你會不會因此不罰我。」不過哭，有時候有用，有時候沒用，所以「我就發明躺著哭，或是一邊哭一邊滾」。如果父母沒有讓孩子得逞過一次，再小的孩子都會知道：「下次千萬不要浪費眼淚和力氣了。」

你或其他人，讓他得逞過嗎？這就是問題之所在。

8他爲什麼會這樣做？因爲孩子已經看準父母了，「只要我夠煩，大人就會投降。」「今天不成功，沒關係，上回就是成功的。」孩子會一直試，只要他覺得他還有贏的機

會，他就會一路試探父母。所以，父母最好的對策就是——

一次機會都不要給孩子，一次都不要讓他得逞。

父母的堅持，不只節省了自己的力氣，也幫孩子節省了他的力氣。一個活在「試探父母」情緒之中的孩子，其實是很辛苦，也很不快樂的。

「你亂丟書和玩具，它們會離家出走，不想住我們家喔，以後你會沒有玩具玩喔。」哇哇哇！這不叫道理啦，這叫欺騙。拜託啦，玩具會離家出走嗎？

有父母說：「我眞的不惜將玩具丟掉，讓孩子知道教訓。」天哪，玩具是你辛辛苦苦賺錢買來的，丟掉可用的東西，到底是在教訓孩子？還是教訓自己啊？這種事，我絕對不會做，因爲這在我的定義裡，就叫意氣用事。

「爲什麼小孩要收玩具？」道理我會這樣說：

「孩子，你有沒有看見家裡都乾乾淨淨的，因爲吃完飯後，媽媽會洗碗；廁所髒了，爸爸會刷馬桶；爺爺看過的書，

會放回原處；洗乾淨的衣服，奶奶會摺疊整齊……（以上人稱，也可以自行全替換成同一人——『媽媽』）。每個人都有他自己的責任，如果媽媽從明天開始，不洗碗不刷馬桶不倒垃圾不疊衣服，你一定會覺得很不舒服。所以，玩具是你拿出來玩的，不玩的時候，就是你的責任要收回去。」

如果孩子「敢」不停地問我爲什麼？我就會不停地說，直到孩子明瞭一件事：與其，跟我媽媽浪費力氣，還不如我自己快點做，比較沒事。

教養孩子的路上，很多大人沒注意到的小地方，就是問題之所在。當然，我的意見只是參考，因爲孩子在你身邊，你才是最了解他的人。旁人任何教養上的建議，都應該經過自己的反芻，才能化爲眞正對事情有幫助的養分。祝福。

汪培珽　敬上

二〇〇九年香港九龍九龍塘

後記：

模擬考和總複習

親愛的汪老師：我的寶寶一歲半，這個年紀的孩子超級好動，對我說的話他應該是聽得懂，但是我不知道他懂多少？問他什麼他都會很可愛的大聲說好，可是他都不會照著做。例如他最近很愛爬到高處玩，有時爬到餐桌上，甚至亂抓桌上的飯菜，弄得滿地都是；或是爬到我的書桌椅子上，拿起滑鼠或筆大力亂敲鍵盤等等。我和先生都遵循你的教誨和他講道理，每當他出現這些行為時，就把他抱下來，跟他說這樣很危險，不可以這樣做等等。但是我不知道他是懂還是不懂，因為我們一講完（或是還沒講完），他就掙脫我，又再去爬，如此要重複十幾次以上。一天之中，當諸如此類的事情一再發生的時候，我的脾氣與情緒越來越差，耐心即將被用盡……。我很不想用「打孩子」的方式來處理事情，但是他又講不聽，我不知道該怎麼做比較好？

來來來，我們先來個模擬考：如果這個問題是落在你的身上，你要怎麼辦？

好啦，我知道你想不到，其實當我一看到讀者的這封信，我也馬上問我自己：如果

現在我的身邊出現了一個一歲半的小野獸，每天爬上我要寫作的電腦亂敲亂打（太恐怖了，要是整本書的稿子，不，只要一篇的稿子不見了，我就會沮喪地想跳樓），而且說也說不聽，還會亂扯我的頭髮……光是想像那幅畫面，我的頭腦就馬上當機、一片空白了。

於是我祭出老招，回頭問正在沙發上吃蘋果的弟弟，他是個完完全全反對父母打孩子的支持者，我倒要看看，遇上這種「說也說不聽」的小小孩，他會怎麼處理？

「弟弟，如果有個一歲半的小朋友，亂敲電腦，說也說不聽，可以打他嗎？」我還特地比劃出有人撒野的恐怖動作。弟弟的眼睛睜得大大的，連眉頭都皺了起來。

「不行。」

「那要怎麼辦？」

他歪著腦袋想了兩秒鐘，好像也表示這個問題很棘手似的。最後，他不疾不徐地說出了他的答案：

「把他捉到沙發上，說道理，如果他想跑，就用力壓著。」

「壓著？」

「對，因爲他會亂跑，第一次說五分鐘，如果他又去亂敲電腦，再抓回沙發上說道理，這次十分鐘，記住，壓著，不能讓他走……」

我對他的答案，當場拍案叫絕。態度堅定且嚴肅地好好說道理，而且讓他知道，他給媽媽惹麻煩，讓媽媽難過，媽媽也不可能輕易放過他。還有比這個更好的選擇嗎？

「一歲半的小孩子，會不會聽不懂道理？」我繼續追問。

「不能亂敲鍵盤，這麼簡單的事，怎麼可能聽不懂。只要他有能力做壞事，他就有能力聽懂。」又是媽媽的拍案聲。

模擬考後，我們再來總複習一下囉。

如果，你的孩子現在還是很小、很乖的時候，那就趕快開始這種「好好跟孩子說話」的溝通模式吧。什麼事情都要好好說，威脅利誘欺騙恐嚇的手法，千萬不要用，一次也不要用。

從我開始寫《餵故事書長大的孩子》到《培養孩子的英文耳朵》，我的心裡都只有一種聲音：每個孩子都有這種愛書的能力。現在，我心裡想的還是同一件事情：每個孩子都是好孩子。當你用好孩子的方式對待孩子時，他就一定是好孩子。

「我知道很多母親和父親都跟孩子走到了教養上的死角，甚至父母失望到想放棄孩子的地步，這該如何化解呢？」還記得序文裡讀者的提問嗎？

我這裡要說的，是針對十三歲以前的孩子。因爲我的孩子還沒十三歲，以後的事，我現在也不知道。請牢記下面這五項簡單的原則：

1堅守父母的原則，沒有算了算了這回事。

2不要隨便開口罵孩子。如果你準備下猛藥，請先確認孩子是病入膏肓。

3用堅定而嚴肅的語氣跟孩子說「不」，當孩子犯錯時。

4錯誤一犯再犯時，小小孩，用房間隔離法。大小孩，剝奪其娛樂的權力，例如看電視、買玩具、跟朋友出去玩。

5每天三十分鐘，利用孩子睡覺前，跟他說說話、聊聊天。小小孩，可以用唸故事書給他聽的方式來代替說話。這就叫「愛的時間」，孩子的行爲沒有導正前，都不可以停止。

以上五項，不是擇一進行，是每一樣都要做到的。

當教養出現了問題時，聽過很多父母的答案都是：「我沒有辦法哪！」拜託一下，如果做父母的都放棄了，這孩子還有救嗎？沒辦法也要想辦法，即使孩子自己都放棄了他自己，你也不能。

教養孩子的字典裡，根本沒有「放棄」這兩個字，父母必須爲了保護孩子，戰到剩下一兵一卒也不能放棄，因爲──你愛他啊！

愛與管教，是一體的兩面。當我們一心想教出守紀律的孩子時，有沒有想過：孩子知道你愛他嗎？呵呵，這是下一本書的預告。最後，我要用這位讀者的這封信，跟你說再見了。

親愛的汪老師：自從聽完了你的演講，我才恍然大悟──原來我以前只跟孩子說不，都沒說明原因，所以孩子根本不知道「為什麼不」。現在我才知道，是自己說道理的時間不夠久，孩子根本來不及聽懂、回應，我就開始了強制的手段。所以最後孩子還是走上了被動的、非自願的那條路。

上課回家後，我不斷地嘗試。那天晚上，我要切水果給一歲半的妹妹吃，但她一直都會跟到廚房來，進來後就開始翻箱倒櫃撬垃圾，於是我就使用你的「好好說道理」的方法跟她說話──媽媽要切水果給你吃，但是你在廚房裡東翻西敲，廚房裡危險物品很多，像是刀子尖尖的，會割傷人；清潔劑有毒，手摸了吃進肚子裡會生病。媽媽要照顧你的安全，就無法專心切水果了。你想要快點吃到水果，就讓媽媽專心切水果，你先到客廳等……

就這樣反反覆覆講了五遍，講到我「絕望地決定要放棄」時——她，居然，願意走出廚房了！

看著小小的、可愛的她，咚咚咚地自動走出廚房的模樣，我真的太感動了！果然父母的耐心一定要夠。現在的我，也要開始訓練自己說道理的能力了。真的很感謝你無私的分享！謝謝！敬祝平安喜樂。

明穎媽媽敬上

天下眞是無難事，只怕有心人。

你有看見放大鏡裡的小老鼠嗎？

弟弟敬上

管教啊，管教

作　　者　汪培珽 wang_peiting@yahoo.com.tw
責任編輯　彭尊聖
美術設計　張士勇工作室
插　　畫　陳星同
責任企畫　劉素如
校　　對　彭尊聖、汪培珽

出 版 者　愛孩子愛自己工作室
電　　郵　s22475070@gmail.com
電　　話　02-2943-2411
傳　　眞　02-2943-2411

電腦排版　中原造像股份有限公司
印刷製版　中原造像股份有限公司
經 銷 商　楨德圖書　電話（02）8919-3186
定　　價　290 元
出版日期　2010 年 4 月 15 日　初版一刷
　　　　　2014 年 1 月 20 日　初版四十七刷

Published by Love Kids And Love Yourself Studio

國家圖書館出版品預行編目資料

管教啊，管教 / 汪培珽著 .　--　初版 .　-- 臺北縣
-- 中和市 : 愛孩子愛自己工作室 , 2010.04
面；　公分 .

ISBN 978-986-86102-0-0（平裝）

1. 親職教育　2. 子女教育　3. 親子關係

528.2　　99004091

愛孩子
愛自己

愛孩子
愛自己